J'apprends

le français
au fil des jours...

A. et N. Soulières

J'apprends

le français
au fil des jours...

éditions hurtubise hmh

Maquette et illustrations; Gérald Leblanc

Collaboratrice à la production, Lindha Dubé
Directeur des éditions pédagogiques; Jean-François Desautels

Copyright © 1979, Éditions HURTUBISE HMH Ltée
Dépôt légal/3ième trimestre 1979
Bibliothèque Nationale du Québec
Bibliothèque Nationale du Canada

Imprimé au Canada — ISBN 2-89045-185-2

À l'intention des parents et des maîtres

Ce manuel de la collection:"J'apprends le français au fil des jours" est le deuxième d'une série de trois. Il s'adresse aux élèves des classes de 5e année de l'école primaire.

Il a été conçu et élaboré en fonction du programme révisé d'apprentissage du français, langue maternelle, du ministère de l'Éducation.

On y trouve l'ensemble des aspects sur lesquels le maître est appelé à intervenir en vue de favoriser chez l'élève des apprentissages vraiment significatifs. Pour ce faire, nous avons résolument opté pour le processus d'apprentissage qui consiste à placer l'élève dans une situation de communication qui justifie la production ou la compréhension de l'un ou l'autre des types de discours (informatif, incitatif, expressif et poétique/ludique) figurant au programme. Le dynamisme d'une telle approche, où l'objectivation joue un rôle essentiel à tous les niveaux, permet, par un processus d'imbrications successives, de mettre les connaissances et les techniques au service du développement des habiletés à communiquer.

En somme, nous avons privilégié une approche didactique fondée sur l'intégration des savoirs linguistiques. Leur place et leur importance sont en fonction des exigences et des contraintes qu'impose la situation considérée dans sa globalité.

Nous sommes cependant fort conscients qu'un manuel ne peut rendre compte de façon tout à fait satisfaisante de la dynamique d'un système aussi complexe que l'est celui d'une langue, et, à fortiori, celui d'une langue première.

Cependant, croyant, d'une part, en l'importance de la situation de communication effectivement vécue par l'enfant et, d'autre part, en la nécessité d'un instrument didactique auquel on puisse constamment se reporter pour asseoir ses apprentissages, nous avons choisi une technique qui permet le respect de ces deux nécessités. Ainsi, en réduisant le nombre de leçons (mais en nous assurant d'exploiter de façon relativement exhaustive les différents champ d'étude présentés par le programme), nous pouvons dès lors fournir au maître et à l'élève la possibilité d'introduire dans leur cheminement annuel commun les nombreuses situations proposées, inspirées, voir même imposées par la vie, et ce, ''au fil des jours''.

De façon à ne pas dépayser inutilement l'écolier, nous avons conservé, tout au long de la collection, un type de présentation sensiblement identique d'un ouvrage à l'autre et une terminologie uniforme.

Chacun des manuels compte deux grandes sections: la première est constituée de l'ensemble des leçons qui actualisent le programme, la deuxième contient, d'une part, les échelons d'orthographe usuelle française de Dubois-Buyse correspondant au niveau d'enseignement pour lequel ils sont prévus et ceux du niveau précédent et, d'autre part, un ensemble de tableaux modèles de conjugaison. Tout au long de la première partie nous renvoyons fréquemment l'élève à ces deux sources de renseignements.

Sur le plan de l'utilisation fonctionnelle, nous avons fait appel aux trois principaux modes d'enseignement, à savoir: le travail sous forme collective, le regroupement en petites équipes et l'apprentissage de type individualisé. Au delà de l'intérêt que présentent ces modes, nous croyons cependant davantage au type d'intervention directe de la part du maître. On aurait tort, croyons-nous, de laisser les élèves à eux-mêmes face à des apprentissages qui font appel à des notions ou à des habiletés en voie d'élaboration. Ainsi en est-il de la compréhension des différents types de discours. En effet, le discours doit constituer un objet d'échange, de discussion, d'interrogations... où l'objectivité doit occuper un rôle de premier plan dans les stratégies d'intervention pédagogique du maître, de façon à amener progressivement l'élève à considérer le discours dans son entité.

En somme il s'agit, pour le maître, de fournir à l'enfant toute l'aide nécessaire de façon à permettre à celui-ci d'exploiter **véritablement les multiples ressources dont il dispose et ce,** tant sur le plan de la compréhension qu'au niveau de la production de discours signifiants. Nous osons croire que cet ouvrage saura répondre aux attentes des maîtres et permettre à l'écolier de développer au mieux sa compétence à communiquer.

Les auteurs

Table des matières

Chapitre 1

Des nouvelles d'une amie

Au cours des dernières vacances, Andrée est allée en voyage avec ses parents en Gaspésie. Elle a écrit à une amie cette **carte postale**.

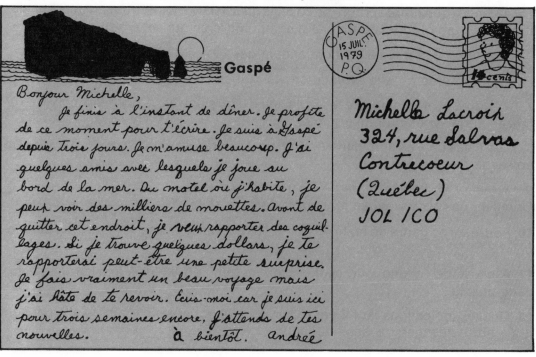

Gaspé

Bonjour Michelle,

Je finis à l'instant de dîner. Je profite de ce moment pour t'écrire. Je suis à Gaspé depuis trois jours. Je m'amuse beaucoup. J'ai quelques amis avec lesquels je joue su bord de la mer. Du motel où j'habite, je peux voir des milliers de mouettes. Avant de quitter cet endroit, je veux rapporter des coquillages. Si je trouve quelques dollars, je te rapporterai peut-être une petite surprise. Je fais vraiment un beau voyage mais j'ai hâte de te revoir. Écris-moi car je suis ici pour trois semaines encore, j'attends de tes nouvelles.   à bientôt.   Andrée

Michelle Lacroix
324, rue Salvas
Contrecoeur
(Québec)
JOL 1CO

Compréhension du message

1. Pourquoi Andrée écrit-elle à son amie?

a) Est-ce pour l'informer sur la façon dont se déroule son voyage?

b) Est-ce pour lui faire savoir qu'elle s'ennuie?

c) Ou est-ce pour une autre raison?

2. Quels renseignements donne Andrée sur sa carte? Faites-en la liste.

1

3. Andrée invente-t-elle ce qu'elle raconte ou cela semble-t-il vrai?

4. Ce texte est-il facile à comprendre? Pourquoi?

5. D'après ce que dit Andrée, pensez-vous qu'elle est contente d'être en vacances à Gaspé ou préférerait-elle être chez elle, avec ses camarades? Expliquez votre réponse.

6. Il arrive parfois (surtout quand on écrit sur du papier non ligné) que l'on n'écrive pas en ligne droite.

Il arrive aussi que notre écriture ne soit pas bien lisible (nos lettres sont mal formées et nos lecteurs ont de la difficulté à comprendre ce qui est écrit).

Il arrive enfin que nos textes contiennent des fautes d'orthographe.

Pourquoi Andrée a-t-elle évité de commettre ces trois sortes d'erreurs?

7. Si Andrée avait rédigé une lettre au lieu d'écrire une carte postale, quelles différences auriez-vous pu remarquer?

8. Y a-t-il des choses dont parle Andrée sur sa carte et sur lesquelles vous aimeriez en savoir davantage?

9. Quel mot du texte montre qu'Andrée parle d'elle?
Combien de fois revient ce mot sur la carte postale?

10. Pourquoi ce genre de texte ne doit-il pas exprimer des sentiments trop personnels?

11. À cause de sa longueur, ce message ressemble-t-il plus à une lettre qu'à une carte postale?

12. Quelles indications faut-il écrire sur la carte pour être certain qu'elle parviendra à notre destinataire, sans difficulté?

Conjugaison

1. J'identifie les verbes.

Relevez dans le texte de la carte postale tous les verbes précédés de **je** ou **j'** et classez-les en quatre ensembles selon leur lettre finale: e, s, x, ai.

2

2. Je trouve d'autres exemples.

En utilisant les verbes des échelons qui figurent à la fin de votre livre et en faisant varier le temps de ceux-ci selon la lettre finale observée (e, s, x, ai), complétez les ensembles de l'exercice précédent dans votre cahier.
Si nécessaire, vous consulterez vos tableaux de conjugaisons.

3. Je vérifie .

À l'aide de vos tableaux de conjugaisons, identifiez le temps des verbes à temps simples qui ont comme lettre finale e, s, x, ai.

4. Je termine.

Terminez le tableau suivant après l'avoir reproduit dans votre cahier.

avoir	être	aller	faire	couper	finir	rendre
Indicatif présent						
j'____	je____	je____	je____	je coupe	je____	je rends
Imparfait						
j'____	j'étais	j'____	je faisais	je____	je____	je____
Passé simple						
j'____	je fus	j'____	je fis	je coupai	je finis	je____
Futur simple						
j'aurai	je____	j'____	je ferai	je____	je____	je rendrai

3

			Conditionnel présent			
j'___	je serais	j'irais	je ___	je couperais	je___	je rendrais
que j'___	que je sois	que j'___	que je ___	Subjonctif présent	que je___	que je ___
				que je coupe		

5. J'applique.

Écrivez correctement dans votre cahier les phrases suivantes. Quand il existe plusieurs façons d'écrire le verbe, écrivez-les toutes.

Je (porter) un chapeau.
Il faut que je (porter) un chapeau quand il fait froid.

Je (finir) mon travail.
Il faut que je (finir) mon travail.

Je (sortir) ce soir.
Il faut que je (sortir) ce soir.

Je (rendre) ce livre à la bibliothécaire.
Il faut que je (rendre) ce livre à la bibliothécaire.

Je (mettre) mes économies à la banque.
Il faut que je (mettre) mes économies à la banque.

Demain, je (aller) à l'école.
Demain, il faut que je (aller) à l'école.

D'ici quelques semaines, je (remettre) mon travail.
D'ici quelques semaines, il faut que je (remettre) mon travail.

Autrefois, je (faire) des économies.
Autrefois, il fallait que je (faire) des économies.

4

Si j'avais de l'argent, je (m'acheter) une bicyclette.
Si je (avoir) de l'argent, je m'achèterais une bicyclette.

Je (vouloir) que tu viennes immédiatement.
Si je (vouloir) réussir, il fallait que je (étudier).

Je (pouvoir) venir dès ce soir.
Si je (pouvoir) venir dès ce soir, je (terminer) le travail.

Je (être) en bonne forme physique.
Il faut que je (être) en bonne forme physique pour participer à cette compétition.

Je (valoir) bien la peine qu'on s'intéresse à moi.
Que je (valoir) mon pesant d'or dans cette équipe ne fait pas de doute.

6. Je me rappelle.

La finale des verbes à temps simples précédés de **je,** se termine de quatre façons : **e, s, x, ai.**
Vérifiez si cette règle est vraie à l'aide de ce tableau.

avoir	être	aller	faire	couper	finir	rendre
			Indicatif présent			
j'**ai**	je sui**s**	je vai**s**	je fai**s**	je coup**e**	je fini**s**	je rend**s**
			Imparfait		je finissai**s**	je rendai**s**
j'avai**s**	j'étai**s**	j'allai**s**	je faisai**s**	je coupai**s**		
			Passé simple			
j'eu**s**	je fu**s**	j'alla**i**	je fi**s**	je coup**ai**	je fini**s**	je rendi**s**
			Futur simple			je rendra**i**
j'aura**i**	je sera**i**	j'ira**i**	je fera**i**	je coupera**i**	je finira**i**	

5

			Conditionnel présent			
j'aurais	je serais	j'irais	je ferais	je couperais	je finirais	je rendrais
			Subjonctif présent			
que j'aie	que je sois	que j'aille	que je fasse	que je coupe	que je finisse	que je rende

Homophones

Doit-on écrire **cet** ou **cette**?

1. Identification

Cet _____
Cette _____

Relevez dans le texte de la carte postale les deux mots suivants: cet et cette. Écrivez chacun d'eux avec le mot qui le suit.

2. Observation

Observez la façon dont sont écrits ces deux mots (cet, cette) dans les phrases suivantes. Expliquez ce qui se passe quant à la façon de les écrire.

Cette élève fait un beau voyage.   **Cet** élève fait un beau voyage.
Cette institutrice est dévouée.   **Cet** instituteur est dévoué.
Cette rivière est polluée.   **Cet** étang est pollué.
Cette auberge est bien située.   **Cet** hôtel est bien situé.
Cette dame est accueillante.   **Cet** homme est accueillant.

3. Découverte de la loi

À l'étape précédente, vous avez découvert la loi. Voici un moyen facile de la retenir.
Si je peux remplacer les mots soulignés par **une**, ils s'écrivent **cette**.
Si je peux remplacer les mots soulignés par **un**, ils s'écrivent **cet**.
En résumé:
une   →   cette
Ex.: Cette (une) dame travaille beaucoup.
un   →   cet
Ex.: Cet (un) homme travaille beaucoup.

4. Vérification

Utilisez les mots de l'échelon 15 en plaçant devant ceux qui s'y prêtent **cet** ou **cette**.
Vous n'oublierez pas d'appliquer votre truc.

Écrivez correctement **cet** ou **cette**.

a) À l'occasion de _____ soirée, _____ homme et _____ femme se sont beaucoup amusés.

b) _____ instrument de musique a été remis à neuf mais _____ autre est irréparable.

c) À _____ heure, je dois retourner à l'école mais _____ promenade m'ennuie car je vois toujours _____ même maison délabrée.

d) _____ série policière m'intéresse mais _____ autre émission consacrée à la politique m'ennuie.

e) _____ élève réussit toujours bien en classe.

5. Résumé

une   →   cette
Ex.: Cette (une) dame travaille beaucoup.
un   →   cet
Ex.: Cet (un) homme travaille beaucoup.

Entraînement à l'expression

1. Andrée aurait-elle pu déplacer, dans la première phrase de sa carte, le groupe **à l'instant**? Quelles nouvelles phrases aurait-elle pu obtenir? Seraient-elles acceptables en français?

2. Aurait-elle pu faire la même chose avec le groupe **pour t'écrire** de la deuxième phrase? Cette nouvelle phrase serait-elle acceptable?

3. Andrée aurait-elle pu réunir dans une seule phrase les deux premières? Qu'aurait-elle obtenu?

4. La troisième phrase aurait-elle pu être dite autrement? Serait-elle acceptable en français?

5. En utilisant le mot **et**, Andrée aurait-elle pu unir dans une même phrase la troisième et la quatrième?

6. Unissez les troisième et quatrième phrases en commençant par: "**Depuis trois jours**...".

7. Dites d'une autre façon la cinquième phrase écrite par Andrée.

8. Ces trois phrases sont-elles acceptables en français?

a) Du motel où j'habite, je peux voir des milliers de mouettes.

b) Je peux voir des milliers de mouettes du motel où j'habite.

c) Du motel, je peux voir des milliers de mouettes.

9. Remplacez le mot en caractères gras dans les phrases suivantes par un ou plusieurs synonymes.

a) Je **finis** à l'instant de dîner.

b) Je **m'amuse** beaucoup.

c) Du motel où **j'habite**, je vois des mouettes.

d) Avant de **quitter** cet endroit, je veux rapporter des coquillages.

10. Le texte d'Andrée présente certains renseignements qu'il n'est pas nécessaire de donner sur une carte postale.
Récrivez-le en enlevant les renseignements qui ne sont pas nécessaires.
Vous ferez ce travail en commun avec l'aide de votre professeur. Vous aurez soin de reproduire dans votre cahier le texte écrit au tableau.

Expression

En supposant que vous soyez l'ami(e) d'Andrée et que vous veniez de recevoir cette carte, formulez une réponse sous la forme d'une lettre.
Votre professeur vous indiquera comment disposer votre texte.

Évaluation

Votre lettre est terminée. Remettez-la à un camarade qui l'évaluera selon les points suivants:

	oui	pas toujours	non
Cette lettre se comprend-elle facilement?	A	B	C
L'écriture est-elle facilement lisible?	A	B	C
Le texte est-il écrit en ligne droite ou est-il penché?	A	B	C
Les phrases commencent-elles par une majuscule et se terminent-elles par un point?	A	B	C
Les verbes précédés de **je** sont-ils écrits sans erreurs?	A	B	C
Si les mots **cet** et **cette** ont été employés, sont-ils écrits sans erreurs?	A	B	C

Votre professeur révisera ensuite les corrections. Le résultat final sera la moyenne des deux notes.

un **papa**
une **maman**

un lapin
une lapine

un **voleur**
une **voleuse**

Chapitre 2

À la manière
d'un homme de sciences

Vous avez déjà vu à la télévision, ou peut-être même dans un laboratoire, des hommes de sciences observer différents phénomènes. Après avoir fait plusieurs fois les mêmes observations, il leur arrive souvent de faire des découvertes très importantes.

Vous aussi pouvez découvrir si vous savez regarder attentivement. Essayons.

Nous avons utilisé tous les noms des échelons 1 à 15 que vous avez déjà étudiés au cours des années précédentes. Nous les avons fait précéder des mots **un** (qui marque le masculin) et **une** (qui marque le féminin).

Voici ce que nous avons obtenu.

1. Observation

Lisez ces couples de mots en observant le changement du masculin au féminin.

un papa / une maman
un jeune / une jeune
un taureau / une vache

un lion / une lionne
un homme / une femme
un chat / une chatte
un lapin / une lapine
un fermier / une fermière
un enfant / une enfant
un mort / une morte

un pauvre / une pauvresse
un garçon / une fille
un chanteur / une chanteuse
           / une cantatrice

un père / une mère
un an / une année
un aviateur / une aviatrice
un malade / une malade
un prince / une princesse
un visiteur / une visiteuse
un lièvre / une hase

un loup / une louve
un cheval / une jument
un coupable / une coupable
un aveugle / une aveugle
monsieur / madame
un premier / une première
un cochon / une truie
un porteur / une porteuse

un merle / une merlette
un frère / une soeur
un joueur / une joueuse
un esclave / une esclave
un inconnu / une inconnue
un fou / une folle
un fils / une fille
un vieux / une vieille

un boulanger / une boulangère
un docteur / une (femme) docteur
un protecteur / une protectrice
un inspecteur / une inspectrice
un gamin / une gamine
un gardien / une gardienne
un oncle / une tante
un veuf / une veuve

un voleur / une voleuse
un chasseur / une chasseresse
un compagnon / une compagne
un élève / une élève
un artiste / une artiste
un chien / une chienne
un roi / une reine
un père / une mère
un matin / une matinée
un oncle / une tante

un mouton / une brebis
un parent / une parente
un diable / une diablesse
un singe / une guenon
un directeur / une directrice
un coq / une poule
un rat / une rate
un maître / une maîtresse

un gros / une grosse
un âne / une ânesse
un mari / une femme
un renard / une renarde
un canard / une cane
un jardinier / une jardinière
un saint / une sainte
un patron / une patronne

un vendeur / une vendeuse
un mineur / une mineure
un spectateur / une spectatrice
un confrère / une consoeur
un tigre / une tigresse
un voisin / une voisine
un serviteur / une servante
un duc / une duchesse

un monsieur / une dame
un menteur / une menteuse
un cousin / une cousine
un voyageur / une voyageuse
un ouvrier / une ouvrière
un écolier / une écolière
un domestique / une domestique
un instituteur / une institutrice
un dieu / une déesse
un religieux / une religieuse

2. Classement

Classez ces mots dans votre cahier sous les titres suivants.
Le masculin et le féminin s'écrivent de façon tout à fait différente.
(**Ex.:** un papa / une maman)

Le masculin et le féminin s'écrivent de la même façon.
(**Ex.:** un jeune / une jeune

Le féminin se forme en ajoutant seulement la lettre **e** au masculin.
(**Ex.:** un gamin / une gamine)

Le féminin se forme par l'addition d'un **accent grave** et d'un **e** au masculin.
(**Ex.:** un écolier / une écolière)

Le féminin se forme **en doublant la lettre finale du masculin** et en ajoutant la lettre **e**.
(**Ex.:** un gardien / une gardienne)

Le féminin se forme en changeant la finale **eur** en **euse**.
(**Ex.:** un voleur / une voleuse)

Le féminin se forme en changeant la finale **eur** en **eresse**.
(**Ex.:** un chasseur / une chasseresse)

Le féminin se forme en changeant la finale **teur** en **trice**.
(**Ex.:** un instituteur / une institutrice)

Le féminin se forme en ajoutant **sse** au masculin.
(**Ex.:** un prince / une princesse)

Le féminin se forme en changeant le **p** final du masculin en **ve**.
(**Ex.:** un loup / une louve)

Le féminin se forme en changeant la finale **ou** du masculin en **lle**.
(**Ex.:** un fou / une folle)

Le féminin se forme en changeant la finale **f** du masculin en **ve**.
(**Ex.:** un veuf / une veuve)

Le féminin se forme en changeant la finale **x** du masculin en **se**.
(**Ex.:** un religieux / une religieuse)

3. Application

À partir de la liste de mots donnée au numéro 1, regroupez dans des ensembles les mots qui se rapportent aux titres suivants :

des mots qui représentent des personnes que l'on trouve dans une famille.

des mots qui représentent des animaux domestiques.

des mots qui représentent des animaux sauvages.

des mots qui représentent des métiers.

des mots qui servent à nommer des enfants.

des mots qui représentent des titres donnés à des personnes.

Un combat d'épellation
Étudiez attentivement les mots donnés au numéro 1. Demain, on divisera la classe en deux équipes et on fera un combat d'épellation. Votre institutrice, après avoir tiré au hasard pour savoir quelle équipe elle interrogera pour commencer, donne un mot que le premier élève de l'équipe débutante devra épeler. Chaque mot épelé correctement donne 1 point. Bonne **chance**!

Qui saura écrire sans fautes les mots que vous dictera votre institutrice à partir de la liste déjà étudiée? Je pense que pas plus de 10 élèves de votre classe sauront réussir à 100% cet exercice. Et vous, qu'en pensez-vous?

Que se produirait-il si nous remplacions dans le numéro 1 les mots **un** et **une** par **les** ou **des**? Faites le travail et notez vos observations.

Un jeune   une jeune

les_____   des_____

Et s'il s'agissait d'ajouter à vos observations du numéro précédent les mots suivants, que se produirait-il?

un canal / des _____
un cheval / des _____
un végétal / des _____
un bal / des _____
un carnaval / des _____
un festival / des _____
un régal / des _____

un château / des _____
un râteau / des _____
un manteau / des _____
un rouleau / des _____
un ruisseau / des _____
un berceau / des _____
un milieu / des _____

un bijou / des _____
un chou / des _____
un caillou / des _____
un genou / des _____
un hibou / des _____
un pou / des _____
un joujou / des _____
un filou / des _____
un écrou / des _____

un religieux / des _____
un chanceux / des _____
un pieu / des _____
un lépreux / des _____
un creux / des _____
un cheveu / des _____
un voyou / des _____
un sou / des _____
un gaz / des _____

4. Résumé

De tout le travail que vous avez fait au cours de ce chapitre, que retenez-vous surtout:

a) en ce qui concerne le passage du masculin au féminin?

b) en ce qui concerne le passage du singulier au pluriel?

Écrivez vos observations dans votre cahier, après en avoir discuté avec votre professeur.

Chapitre 3

J'observe le fonctionnement du nom et de l'adjectif.

1. Observation

Observez les couples suivants dans chacun de ces ensembles et ajoutez-y les éléments manquants.

1er ensemble _____

a) un homme grand
une femme grande

b) un marteau lourd
une masse_____

c) un jeune ami
une jeune_____

d) un garçon_____
une fille élégante

e) un couteau pointu
une _____ _____

f) un convoi royal
une visite _____

g) un arbre dénudé
une branche_____

h) un oiseau _____
une oie criarde

j) un élève poli
une_____ _____

i) un bolide puissant
une voiture_____

2e ensemble _____

a) un objet utile
une pièce _____

b) un chemin large
une_____ _____ large

c) un jeune enfant
une_____ _____

d) un brave homme
une _____ _____

e) un bonheur éphémère
une joie _____

f) un regard autoritaire
une parole_____

17

3ᵉ ensemble _____

a) un fauteuil léger
une chaise _____

b) un être ____
une personne chère ____

c) un trouble passager
une difficulté _____

d) un rapport financier
une crise _____

e) un élève grossier
une _____ _____

f) un habit princier
une tenue _____

4ᵉ ensemble _____

a) un accident mortel
une blessure _____

b) un petit muet
une _____ _____

c) un teint vermeil
une _____ _____

d) un air breton
une _____ _____

e) un appartement net
une classe _____

f) un match nul
une partie _____

g) un garçon gentil
une fille _____

h) un syndicat chrétien
une association _____

5ᵉ ensemble _____

a) un document complet
une fiche in_____

b) un directeur discret
une _____ in_____

c) un passage secret
une issue_____

d) un homme _____
une femme inquiète

6ᵉ ensemble _____

a) un geste moqueur
une parole _____

b) un garçon_____
une fille railleuse

c) un site enchanteur
une ville_____

d) un ouragan dévastateur
une tempête_____

e) un aveu _____
une parole accusatrice

f) un fier compétiteur
une_____ _____

7ᵉ ensemble _____

a) un père heureux
une mère_____

b) un homme malchanceux
une_____ _____

c) un soleil radieux
une température_____

d) un accident malheureux
une rencontre_____

e) un être doux
une personne_____

f) un son_____
une note fausse _____

18

g) un cheveu roux
une chevelure_____
h) un accident _____
une embardée malencontreuse

8ᵉ ensemble _____

a) un être fou
une personne_____
b) un poste nouveau
une fonction_____
c) un bel _____
une _____ floraison

d) un_____ édifice
une nouvelle_____
e) un vieil homme
une _____ femme
f) un sol mou
une neige_____

2. Qu'y a-t-il de particulier:

a) dans le premier ensemble, en ce qui concerne la formation du féminin de l'adjectif?

b) dans le deuxième ensemble?

c) dans le troisième ensemble?

d) dans le quatrième ensemble?

e) dans le cinquième ensemble?

f) dans le sixième ensemble?

g) dans le septième?

h) enfin, dans le huitième?

3. Formulation

Terminez les phrases suivantes en vous appuyant sur les découvertes que vous venez de faire.

a) Dans le premier ensemble, je remarque que le féminin de l'adjectif se forme en ajoutant un____à l'adjectif masculin.

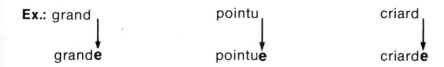

Ex.: grand → grand**e**   pointu → pointu**e**   criard → criard**e**

b) Dans le deuxième ensemble, je remarque que le masculin et le _____ de l'adjectif sont _____.

Ex.: utile　　　　　　　　éphémère　　　　　　　　autoritaire
　↓　　　　　　　　　　↓　　　　　　　　　　↓
　utile　　　　　　　　éphémère　　　　　　　　autoritaire

c) Dans le troisième ensemble, je remarque que le féminin se forme en changeant le **er** du masculin en_____.

Ex.: passager　　　　　　cher　　　　　　　　princier
　↓　　　　　　　　↓　　　　　　　　↓
　passagère　　　　　chère　　　　　　　princière

d) Dans le quatrième ensemble, je remarque que les adjectifs masculins forment leur féminin en _____ la consonne finale et en y ajoutant la lettre__ .

Ex.: mortel　　　　　　nul　　　　　　　　vermeil
　↓　　　　　　　↓　　　　　　　↓
　mortelle　　　　　nulle　　　　　　　vermeille

e) Dans le cinquième ensemble, je remarque que les adjectifs masculins se terminant par **et** ne doublent pas la consonne finale en passant au féminin mais qu'ils changent le **et** en_____.

Ex.: secret　　　　　　complet　　　　　　indiscret
　↓　　　　　　　↓　　　　　　　↓
　secrète　　　　　complète　　　　　indiscrète

f) Dans le sixième ensemble, je remarque que les adjectifs masculins se terminant en **eur** ou en **teur** se terminent au féminin soit par._____ , _____ ou _____ .

Ex.: moqueur　　　　　accusateur　　　　　enchanteur
　↓　　　　　　　↓　　　　　　　↓
　moqueuse　　　　accusatrice　　　　enchanteresse

g) Dans le septième ensemble, je remarque que les adjectifs masculins ayant leur finale en **eux**, **oux** et **aux** se terminent en____ _____et en_____ au féminin.

Ex.: heureux　　　　　doux　　　　　　　faux
　↓　　　　　　　↓　　　　　　　↓
　heureuse　　　　douce　　　　　　fausse

h) Dans le huitième ensemble, je remarque que les adjectifs qualificatifs masculins ayant leur finale en **ou**, **el**, **eau**, **eil** forment leur féminin en changeant ces finales en _____ .

Ex.: fou   bel   vieil
       ↓   ↓   ↓
   fo**lle**   be**lle**   viei**lle**

4. Et, que se produirait-il...

si nous remplacions les articles (un et une) placés devant chacun des couples des huit (8) ensembles par les articles **les** et **des**?
Existe-t-il des cas où vous pourriez remplacer **des** par **de**, tout en conservant à ces groupements leur acceptabilité?

5. À la recherche d'une formulation

Reprenez les huit (8) formulations de règles données à l'étape 3 et appliquez-les aux règles que vous venez de découvrir à l'étape 4.

6. Application

Terminez ces phrases à l'aide du mot approprié.
1re série

a) C'est un garçon capricieux et _____ .

b) Ce sont des garçons capricieux et _____ .

c) C'est une fille capricieuse et _____ .

d) Ce sont des filles _____ et _____ .

e) Ce sont des filles et des garçons _____ et _____ .

2ᵉ série

a) C'est une personne affable mais _____ .

b) C'est un être charmant mais _____ .

c) Ce sont des personnes _____ mais _____ .

d) Ce sont des êtres _____ mais _____ .

3ᵉ série

a) Un enfant a remarqué le _____ petit oiseau.

b) Des _____ ont remarqué les _____   _____   _____ .

c) Une fillette a remarqué les joyeux oiseaux _____ et _____ .

d) Des fillettes ont remarqué les longues _____   _____ et _____ .

En vous aidant des observations faites aux étapes 1 et 4, créez des exercices du même genre que ceux qui précèdent et soumettez-les à votre voisin qui tentera de les compléter.

Terminez les phrases suivantes:

a) Roger est poli.
Nicole est _____ .

b) M. Surprenant est jovial.
Mme Surprenant est _____ .

c) Le petit Denis est _____ .
La petite _____ est _____ .

d) Michel, le petit garçon de mon frère, était caché sous son lit.
Michelle, _____ ,
était _____ sous son lit.

e) Mon frère Paul a été impressionné par ce spectacle.
Ma soeur Pauline a été _____ par ce spectacle.

f) Mon jeune frère est parti pour Québec ce matin.
Ma _____   _____ est _____ pour Québec ce matin.

Et celles-ci.

a) Le tigre est cruel.
La _____ est _____ .
Les _____ sont _____ .
Les tigresses sont _____ .

b) Le tigre du jardin zoologique est méchant.
La _____ du jardin zoologique est _____ .

Les _____ du jardin zoologique _____
_____ .
Les _____ du jardin zoologique _____
_____ .

c) Le tigre et la tigresse étaient _____ .
Le lion et la lionne seraient _____ .
Le _____ et le _____ ont été dévo-
rés.
L'homme et l'_____ sont photo _____
ensemble.

d) La niche du chien est trop _____ .
Les niches de nos chiens _____ trop
_____ .

Le bâtiment principal de la ferme a été
_____ par les flammes.

Les _____ _____ de la ferme _____
été _____ par un incendie.

Supprimez de ces phrases les mots qui vous semblent inutiles.

a) Deux jeunes fillettes de quatre ans jouent dans le parc.

b) Nous avons dégusté un bon et délicieux repas.

c) Ces personnes qui ne bougent pas sont immobiles.

d) Les lionceaux, qui sont de jeunes lions, suivent leur mère pas à pas.

e) À deux reprises différentes, ces alpinistes ont escaladé cette montagne abrupte.

Placez, à l'endroit approprié, les mots suivants. Attention! Nous les avons tous é-
crits au singulier.

maigre, mordoré, collé, perplexe, basané, serré

Le colporteur

La figure _____ , les cheveux _____ au front, le chapeau derrière la tête, ses
yeux _____ tranchant à peine sur son teint _____ , le colporteur _____ , restait
debout... Il gardait les bras près du torse, les genoux _____ , comme s'il eût craint
de perdre la moindre chaleur de son corps...
                                    G. Guévremont

Au lieu que ce soit M. le Curé qui entre à la librairie, supposez que deux hommes
pénètrent dans cet établissement. Récrivez le texte.

À la librairie
Puis, un matin, M. le Curé est entré... C'est un homme obèse, frisant la soixantaine,

fort bien conservé, teint vermeil, nez épaté, front fuyant, chevelure en panache, et qui parle d'une voix traînante et solennelle. Il s'est approché de moi pour me demander en un chuchotement si j'étais ''responsable de la vente des livres''.

Lisez le texte suivant et posez à l'endroit approprié le mot qui convient. Ensuite, dessine cet animal selon les caractéristiques données dans la troisième phrase. dans la troisième phrase.

marron, vif, ardoisé, aigus, jeune, vineuse, noires, blanche, fourchue

L'oiseau
Un soir, je fus attiré par de petits cris _____. M'approchant du sentier, je vis un ___ _____oiseau qui venait de se prendre au trébuchet. Il avait le dos_____, la tête d'un bleu_____, l'oeil_____, les moustaches_____ , le cou, la poitrine et les flancs d'une belle couleur_____, la queue_____et une belle tache_____ sur chaque aile.

A. Theuriet

Comparez enfin vos réponses et tentez de justifier vos choix.

Relisez le texte précédent amputé des neuf (9) mots. Remplacez le, la, les, l' par un, une, des (ou de). Quelle version préférez-vous?
La vôtre (faite au numéro précédent) ou celle que vous venez d'effectuer?
Pourquoi?

Les précisions: c'est important! Lisez le texte qui suit.

L'ours

Yogi était un ours. Au vrai, son poil était marron. Il avait sous la gorge un dessin qui ressemblait à un coeur. Le tour de ses yeux était couleur café; on aurait dit qu'il s'était mis sur le museau, pour s'amuser, une paire de lunettes. En somme, c'était un bel ours.

Maintenant, lisez ce même texte mais enrichi cette fois d'un certain nombre de précisions. Les mots en caractères gras constituent ces précisions.

Le petit ours noir
Yogi était un ours **noir**. Au vrai, son poil était marron **foncé, mais si foncé qu'il était**

24

presque noir. Il avait **seulement** sous la gorge un **petit** dessin **blanc** qui ressemblait **un peu** à un coeur. **Et autre chose:** le tour de ses yeux **malins** était couleur café **au lait**; on aurait dit qu'il s'était mis sur le museau, pour s'amuser, une paire de lunettes **d'écaille**.

En somme, c'était un **mignon petit** ours **très futé pour son jeune âge**.

Lequel de ces deux textes préférez-vous? L'intention de l'auteur est-elle la même dans les deux cas? Et la réussite, elle, est-elle identique? Pourquoi?

Expression

En utilisant trois (3) photographies d'une même race d'animaux (3 photos de chiens, par exemple) qui se ressemblent un peu, décrivez-en un à votre choix, après l'avoir observé attentivement. Quand votre texte sera terminé, remettez-le à un(e) ami(e), accompagné des photos.

Votre camarade devra pouvoir identifier l'animal décrit en établissant des correspondances entre les caractéristiques apparaissant sur les photos et le mot qui les désigne dans votre texte.

Vous aurez eu soin d'indiquer à l'endos de votre texte le numéro de l'animal décrit.

7. Que retenir de ce qui précède?

Dans ce chapitre, vous avez étudié les règles de formation de l'adjectif en genre et en nombre.

Pourriez-vous grouper dans votre cahier, sous forme de tableau, vos observations au sujet de ces lois (soit celles de la formation du féminin de l'adjectif et celles du pluriel)?

Chapitre 4

Petits trucs pour reconnaître les mots se terminant par la lettre t

1. Identification

Lisez les mots suivants. Quelle remarque pouvez-vous faire en ce qui concerne la lettre finale de ceux-ci?

mendiant	transport	gant
combat	fouet	front
charmant	instant	talent
bandit	clément	nullement
quart	réellement	climat
but	conformément	cordialement
écrit	actuellement	mécontent
montant	principalement	différent
profit	courant	accident
traitement	violent	légèrement

amusant	attentivement	sérieusement
facilement	seulement	respect
lentement	maintenant	sanglot
important	géant	effort
glissant	énormément	intelligent
lent	malheureusement	gouvernement
président	joyeusement	portrait
coquet	dernièrement	sort
debout	dessert	durant
tôt	sitôt	aussitôt
habit	doigt	bleuet

2. Observation

A) Mots de même famille

À partir des mots de la liste, trouvez, quand cela est possible, des mots de la même famille qui contiendront le **t** final du mot donné dans la liste.

Ex.: mendiant   →   mendian**te**;

         bandit   →   bandi**tisme**;

       combat   →   comba**ttre**, comba**ttant**, comba**tif**, comba**tivité**.

Quelle conclusion tirez-vous de ce premier travail ?

B) Adverbes se terminant par le son ⎡ mã ⎤

Relevez tous les mots de la liste (et ajoutez-en d'autres du même genre) que vous pourriez remplacer par "**d'une manière**...".

Ex.: facilement   →   d'une manière facile;

     gentiment   →   d'une manière gentille;

     habilement   →   d'une manière habile.

Quelle conclusion tirez-vous de cette deuxième recherche ?

C) Mots exprimant ce que l'on reçoit

Identifiez tous les mots de la liste (et ajoutez-en d'autres du même genre) qui indiquent que l'on reçoit quelque chose.

Ex.: traitement   →   recevoir un salaire ou être malmené par quelqu'un ou encore se voir accorder un privilège;

     allaitement   →   recevoir du lait de la mère.

Quelle conclusion tirez-vous de cette troisième étape ?

D) Autres cas

Relevez les autres mots de la liste (et ajoutez-en d'autres du même genre). Proposez pour cet ensemble un ou des moyens de vous rappeler qu'ils se terminent par la lettre **t**.

Ex.: **doigt**   →   empreintes **digit**ales

     tôt, bien**tôt**, si**tôt**, aussi**tôt**, de si**tôt**

     avant, durant, pendant, au même moment, immédiatement

E) Dernière observation

Quel est le son-voyelle le plus fréquent, en syllabe finale, dans la liste de mots?

Quelle conclusion tirez-vous de cette dernière observation?

Donnez plus de poids à votre observation en lisant les mots des échelons 16, 17 et 18 et en calculant le pourcentage (%) des mots se terminant par le son final que vous venez d'identifier par rapport au nombre total de mots finissant par la lettre **t** dans ces trois échelons.

3. Application

Votre professeur vous dictera un certain nombre de mots dont quelques-uns se termineront par la lettre **t**. En utilisant les "petits trucs" que nous avons proposés (ou d'autres que vous avez découverts), écrivez ces mots qui vous seront dictés à l'intérieur d'une phrase. Qui saura réussir cet exercice sans erreurs?

Avez-vous remarqué que plusieurs verbes se terminent par la lettre **t** à certaines personnes? Relevez-en une quinzaine et complétez ce tableau, après l'avoir reproduit dans votre cahier.

	1er groupe (er)	2e groupe (ir→ issant)	3e groupe (autres)
modes	indicatif		
temps	imparfait		
personnes	3e sing.; 3e plur.		
exemples	il chantait; ils chantaient		

En utilisant les mots de la liste et d'autres se terminant par la lettre t, rédigez quelques phrases drôles mais acceptables en français.
Ex.: Ce n'est pas un président ni un mendiant mais un charmant bandit.

Écrivez, s'il y a lieu, la lettre **t** à l'endroit approprié, après avoir reproduit ce texte dans votre cahier.

Chez le brocanteur

Tô__le matin, le brocanteur nous aida__à charger tou__le fournimen__sur la charrette à bras. Aussitô__que le tou__fu__arrimé avec des cordes qu'un long usage avai__rendues chevelues, on fi__les comptes. Après une sorte de méditation, le brocanteur regarda fixemen__mon père et di__: "Ça fai__cinquante francs!

-Ho, Ho! di__mon père, levan__spontanémen__les bras en l'air, c'es__trop cher!

- C'es__ cher, mais c'es__ beau, di__le brocanteur. La commode es__ d'époque!

Il montrai__ du doig__cette ruine vermoulue.

-Je le croi__ volontiers, di__ mon père. Elle es__ certainemen__ d'une époque, mais pas de la nôtre !

Le brocanteur pri__ un air dégoûté et di__: "Vous aimez tellemen__ le moderne ?

- Ma foi, di__mon père, je n'achète pas ça pour un musée. C'es__pour m'en servir."

Le vieillard paru__attristé par ce__aveu.

"Alors, di__-il, ça ne vous fai__rien de penser que ce meuble a peu__-être vu la reine Marie-Antoinette en chemise de nui__?

- D'après son éta__, di__mon père, ça ne m'étonnerai__ pas qu'il ai__vu le roi Hérode en caleçon!"

D'après M. Pagnol

30

4. Résumé

Résumez dans votre cahier vos observations en ce qui concerne la présence de la lettre **t** en fin de mot. Votre professeur pourra vous aider à disposer vos renseignements de façon que votre résumé se comprenne facilement.

Chapitre 5

Disparu

Vous êtes policier. Un enfant est disparu de chez lui. Ses parents appellent au poste de police pour annoncer cette disparition. Après cet appel, vous vous rendez au domicile de ceux-ci pour obtenir plus d'informations au sujet du jeune disparu.

Remplissez cette fiche en interrogeant l'un des parents. Il s'agit donc d'interpréter cette scène mettant en présence deux personnages : l'un jouant le rôle du policier; l'autre, celui de l'un des parents.

Fiche d'identification

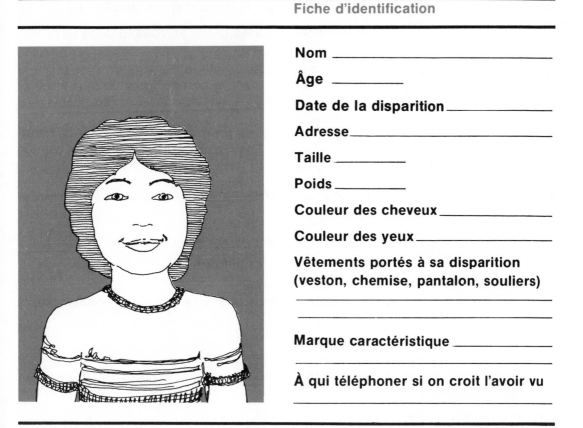

Nom _____

Âge _____

Date de la disparition _____

Adresse _____

Taille _____

Poids _____

Couleur des cheveux _____

Couleur des yeux _____

**Vêtements portés à sa disparition
(veston, chemise, pantalon, souliers)**
_____
_____

Marque caractéristique _____

À qui téléphoner si on croit l'avoir vu
_____

À l'aide des informations que vous venez de recueillir, écrivez un texte d'information à l'intention des journaux. Vous ferez ce travail en répondant aux questions qui suivent.

1. Énumérez, dans le texte que vous remettrez aux journaux, différentes façons de nommer l'enfant disparu.

Ce pourrait être:

> Roger R... est disparu de chez lui.
> Roger R..., un jeune enfant, est disparu de chez lui.
> Un jeune enfant, Roger R..., est disparu de chez lui.
> Un jeune garçon, Roger R..., est disparu de chez lui.
> Un garçonnet, Roger R..., est disparu de chez lui.
>
> Laquelle de ces phrases préférez-vous? Pourquoi?

2. Réunissez dans une même phrase les deux premiers renseignements (nom et âge) qui apparaissent sur la fiche. Essayez d'écrire cette phrase de plusieurs façons. Laquelle préférez-vous?

3. Groupez dans un même paragraphe les trois premiers renseignements. Pourriez-vous le faire avec les quatre premiers? Essayez d'écrire cette grande phrase de deux façons. Laquelle préférez-vous?

4. Croyez-vous que la phrase que vous avez rédigée au numéro 3 puisse former le premier paragraphe de votre texte?

5. Essayons maintenant d'écrire le deuxième paragraphe.
a) Faites une phrase en parlant de la taille du garçon.
b) Faites-en une autre en parlant de son poids.
c) Réunissez dans une même phrase ces deux premiers renseignements (taille et poids).
Laquelle préférez-vous?

6. Faites la même chose qu'au numéro précédent au sujet de la couleur de ses cheveux et de ses yeux.

Laquelle préférez-vous?

34

7. En commençant votre phrase par: "Au moment de sa disparition, le jeune enfant portait...", dites de façon précise de quoi il était vêtu.

8. Faites enfin une phrase faisant mention d'une marque caractéristique qu'il porte au visage.

9. Croyez-vous que les phrases que vous avez faites au sujet de la taille, du poids, de la couleur des yeux et des cheveux, des vêtements et de la marque caractéristique puissent former le deuxième paragraphe?

10. En commençant votre phrase par "Si quelqu'un croit avoir vu cet enfant...", dites à qui il doit téléphoner pour donner ces renseignements.

11. Cette dernière phrase est-elle suffisante pour former le troisième paragraphe?

Expression

Écrite

Collez, sur la partie gauche de votre feuille, la photographie de l'enfant disparu. Sur la partie droite, rédigez votre texte à partir des meilleures phrases que vous avez écrites dans les numéros précédents en ayant soin de faire trois paragraphes. Et vous voilà devenu journaliste!

Évaluation

Votre professeur vous demandera de lire vos textes à la classe. Après chaque lecture, on discutera des points suivants.

1. Ce texte donne-t-il assez de renseignements (surtout sur l'aspect physique) pour me permettre de reconnaître facilement l'enfant si je le rencontrais sur la rue?

2. Le titre du texte est-il assez bien choisi pour m'inciter à le lire?

3. Le texte est-il assez court (3 ou 4 paragraphes)?

4. Toutes les phrases du texte sont-elles acceptables en français?

Orale

Lisez votre texte face à la classe, comme s'il s'agissait d'un **bulletin spécial.** Et cette fois-ci, vous voilà devenu lecteur de nouvelles.

Évaluation

Après chaque lecture, on discutera des points suivants.

1. Le texte est-il lu de façon normale ou bien le lecteur fait-il de nombreuses hésitations ?

2. Le lecteur a-t-il toujours les yeux rivés sur son texte ou regarde-t-il parfois l'auditoire ?

3. Le texte est-il lu d'un débit normal ou est-il lu trop rapidement ?

La majuscule

1. Identification

Relevez dans le texte qui suit tous les mots qui commencent par une lettre majuscule.

Classez-les sous les titres suivants:

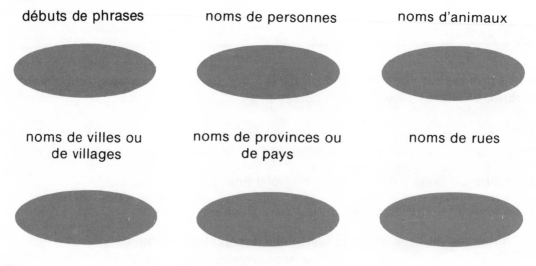

| débuts de phrases | noms de personnes | noms d'animaux |

| noms de villes ou de villages | noms de provinces ou de pays | noms de rues |

Deux enfants, Marcelle Poirier et Marie-Hélène Leduc se rendaient, samedi soir, chez une amie demeurant rue Chambord, à Sainte-Luce, une petite localité de la province de Québec.

Elles rencontrèrent soudain, au sortir du chemin qui longe la rivière Casaubon, un chien qui se précipita sur elles sans raison. Par chance, madame Lanthier et son mari, Paul, se trouvaient à quelques pas. Monsieur Lanthier cria aussitôt: "Fido!". Et le chien revint vers ses maîtres sur-le-champ. Marie-Hélène et Marcelle en furent quittes pour une bonne peur.

2. Observation

a) **Choisissez un court texte** ou utilisez celui que vous remettra votre professeur. Relevez les mots qui commencent par une majuscule et classez-les comme à l'étape précédente.

b) **Reprenez le texte d'information que vous avez écrit** et vérifiez si vous avez placé correctement les majuscules.

3. Découverte de la loi

Vous pouvez maintenant dire quand il faut utiliser les lettres majuscules.

Terminez la phrase qui suit et vous aurez découvert leur règle d'utilisation.

On place une lettre majuscule:

quand on commence une_____;
quand on nomme une_____;
quand on donne un nom à un_____;
quand on indique le nom d'une ville ou d'un_____;
quand on mentionne le nom d'une_____ ou d'un pays;
quand on nomme une _____.

4. Vérification

Récrivez les phrases suivantes dans votre cahier en plaçant les majuscules à l'endroit approprié.

je fréquente l'école saint-dominique de repentigny.

paul et marie-andrée déménageront à edmunston au nouveau-brunswick, cet été.

rex est le nom que porte le chien de mon cousin, gilles.

sorel est une ville industrielle située au confluent de la rivière richelieu et du fleuve saint-laurent.

tous mes amis demeurent rue royer à vimont.

le canada est un pays qui compte environ 24 millions de personnes.

Un petit jeu de vitesse... et de précision orthographique.
Votre professeur vous remettra une feuille sur laquelle on trouve toutes les lettres de l'alphabet en majuscules disposées en colonnes (de haut en bas de la feuille).

Il s'agit d'écrire, pendant 5 minutes, le plus grand nombre de prénoms. Le gagnant sera celui qui en aura écrit le plus, sans erreurs, dans le temps indiqué. Au jeu!

5. Résumé

Il faut une majuscule

quand on commence une phrase.

quand on nomme une personne, un animal, une école, une rue, une ville, un village, une province, un pays, un fleuve, une rivière.

38

Conjugaison

Un élève a écrit son article de journal comme suit. En le lisant, il me semble que certains verbes sont employés incorrectement.
Lisez ce texte. Ensuite, récrivez-le de façon qu'il soit acceptable pour le journal.

Disparu
Un enfant de 8 ans, Roger Roberge, est disparu de son domicile depuis hier.

Le jeune garçon, qui habitait le 1401 de la rue Champlain à Nicolet, mesurait 1 m 22 et pesait 30 kg. Il avait les cheveux blonds et les yeux bleus. Au moment de sa disparition, il porte un veston bleu, un pantalon gris et un chandail blanc.

Toute personne qui peut fournir des renseignements pour aider à retrouver le garçonnet devait communiquer avec le capitaine Chartier de la police de Nicolet, au numéro 000-0000.

Homophones

Doit-on écrire a ou à?

1. Identification

Relevez dans le texte suivant les deux mots a et à.
Vous écrirez au complet les phrases où se trouvent ces mots.

Un enfant de 8 ans, Roger Roberge, est disparu de chez lui depuis hier.

Il a été vu pour la dernière fois à l'angle des rues Cartier et Gariépy vers 12:50. Il se rendait alors à l'école située à quelques pas de chez lui.

Il habite au 1400, rue Cartier à Montréal.

Il a les cheveux blonds et les yeux bleus. Il est vêtu d'un pantalon gris et d'un gilet bleu.
Il a une petite cicatrice à la lèvre supérieure.
Toute personne qui a vu cet enfant doit communiquer à la police de Montréal tout renseignement pouvant aider à le retrouver.

2. Observation

Observez les mots en caractères gras et ceux qui sont placés entre parenthèses dans les phrases suivantes:

a) Il **a** (avait) été vu pour la dernière fois **à** l'angle des rues Cartier et Gariépy.

b) Il **a** (avait) les cheveux blonds et les yeux bleus.

c) Il **a** (avait) une petite cicatrice **à** la lèvre supérieure.

d) Toute personne qui **a** (avait) vu cet enfant doit communiquer **à** la police de Montréal tout renseignement pouvant aider **à** le retrouver.

3. Découverte de la loi

Si vous avez bien étudié l'étape précédente, vous savez maintenant que:

si je peux remplacer le mot **a** par avait, le mot **a** s'écrit sans accent;

dans tous les autres cas, le mot **à** prend un accent grave.

En résumé:
a   →   avait
à   →   quand je ne peux pas le remplacer par avait.

4. Vérification

a) **Reprenez votre article de journal** et voyez si vous avez bien écrit ces deux mots: **a** et **à**.

b) **Êtes-vous bien certain** de la façon d'écrire ces deux mots?

Faisons un dernier exercice pour nous en assurer.
Écrivez correctement **a** ou **à**.

Pierre＿＿écrit une lettre＿＿sa marraine.

40

Denise____préparé un gâteau____l'occasion de la fête de Marcel.
Jean-François ____invité ses amis____une soirée récréative.
Danielle____vendu sa bicyclette____Dominique.
C'est ____ la patinoire qu'il ____ brisé la lame de son patin.

5. Résumé

Chapitre 6

Les signes marquant le début et la fin de la phrase : la majuscule, le point, le point d'interrogation et le point d'exclamation

Le lézard et la fourmi

"Bonjour, Lézard!" "Bonjour, Fourmi!"
"Dis-moi, que fais-tu donc l'ami,
Oisif au soleil, sur la route?"
"Tu le vois, je bâille et j'écoute
Le bruit du vent dans le blé mûr.
Ensuite, dans un trou du mur
J'irai me blottir quelques heures."
"Eh quoi! malheureux, tu demeures
Des jours entiers sans travailler!
Tu passes ta vie à bâiller?"
"Eh bien! que veux-tu que je fasse?"
"Fais comme moi, Lézard, amasse
Des vivres pour l'hiver prochain."
"Pourquoi songer au temps lointain?"
"Par prévoyance, camarade."

"Je préfère la promenade,
La flânerie et le sommeil,
Sur un vieux mur plein de soleil.
Laisse-moi m'endormir, ma mie;
Garde pour toi l'économie,
Moi je compte sur le hasard."
"Tu mourras cet hiver, Lézard!"

O. Aubert

Compréhension du message

1. Après avoir lu cette fable deux ou trois fois, pourriez-vous dire quelle était l'intention de 0. Aubert en l'écrivant?

2. Cette fable ressemble beaucoup à l'une de celles qu'a écrites La Fontaine. Pourriez-vous donner le titre de cette dernière?

3. Quel est le message que nous livrent O. Aubert et Jean de La Fontaine dans les deux fables dont nous venons de parler?

4. Quel défaut humain représente le lézard? Et quelle qualité symbolise la fourmi?

5. Pourquoi, dans le texte, les mots "fourmi" et "lézard" prennent-ils la majuscule? Trouvez, dans votre livre, le chapitre où il est question de la majuscule. Reproduisez, dans votre cahier, cette règle en y ajoutant la découverte que vous venez de faire.

6. Que remarquez-vous en ce qui concerne la finale des vers considérés par groupes de deux?

7. Combien de syllabes orales (coups de voix) compte:

a) le premier vers?

b) le deuxième vers?

c) le troisième vers?

d) le quatrième vers?

e) quelques autres vers à votre choix?
Quelle conclusion tirez-vous au sujet du nombre de syllabes orales (coups de voix) contenues dans chacun des vers?

Entraînement à l'expression

1. Orale
Quelques équipes formées de deux élèves interprètent cette scène après que le pro-

44

fesseur leur ait fourni un exemple d'interprétation qu'il a enregistré sur bande magnétique avec l'aide d'un collègue. De façon à éviter la monotonie, le professeur pourrait fournir aux élèves quelques fables de La Fontaine.

Quelle équipe saura le mieux interpréter sa scène?

Pour l'évaluer, on pourrait préparer en commun une grille d'évaluation en s'appuyant sur l'exemple d'interprétation fourni par les professeurs.

N.B.

Il serait intéressant d'enregistrer sur bande magnétique chacune des interprétations; l'évaluation en serait ainsi facilitée.

2. Écrite

a) Voici comment un écrivain a transformé la fable intitulée "La cigale et la fourmi". Pourriez-vous, à l'aide de votre dictionnaire, retrouver quel moyen il a employé pour arriver à ce résultat?

La cimaise et la fraction

La cimaise ayant chaponné tout l'éternueur
se tuba fort dépurative quand la bixacée fut verdie:
pas un sexué pétrographique morio de moufette ou
de verrat.

Elle alla crocher frange
Chez la fraction sa volcanique
La processionnant de lui primer
Quelque gramen pour succomber
Jusqu'à la salanque nucléaire.

"Je vous peinerai, lui discorda-t-elle,
avant l'apanage, folâtrerie d'Annamite!
interlocutoire et priodonte."

La fraction n'est pas prévisible:
c'est là son moléculaire défi.

"Que feriez-vous au tendon cher?
discorda-t-elle à cette énarthrose.

- Nuncupation et joyau à tout vendeur,
Je chaponnais, ne vous déploie.

- Vous chaponniez? J'en suis fort alarmante.
Eh bien! débagoulez maintenant."

Oulipo

En utilisant un procédé semblable (ou un autre de votre choix), récrivez le texte de "La cigale et la fourmi" que vous remettra votre professeur. Vous en ferez ensuite lecture au groupe en conservant les mêmes intonations que s'il s'agissait du texte de La Fontaine.

b) Et si le lézard et la fourmi s'étaient vouvoyés, comment l'auteur aurait-il dû écrire le texte?

c) Pourriez-vous compléter les petits poèmes suivants? Vous veillerez cependant à ce que fonctionnent les rimes selon le système des crochets.

La pluie

Pin, pan! Qui_____à mon carreau?
Ce sont de_____ _____ _____.
On n'entre pas dame_____,
Votre visite_____ _____.
Restez_____dans le _____;
Allez_____le jasmin,
L'églantine et la pâquerette;
On n'entre pas dans ma_____.
J. Courcelle

Le pélican

Le capitaine Jonathan,
Étant âgé de_____ _____.
Capture un jour un_____
Dans une île_____ _____.
Le _____de_____,
Au matin, pond un oeuf_____ blanc
Et il en_____ un_____
Lui ressemblant_____.
Et ce_____ _____
Pond, à son_____, un oeuf tout_____
D'où sort,_____,
Un autre qui en fait_____.
Cela peut durer _____ très_____
Si l'on ne_____ pas_____, _____avant.

d) Savez-vous ce qu'est l'écriture automatique?
On forme des équipes de deux élèves. Chacune d'elles doit découper dans un journal des noms, des verbes, des adjectifs qualificatifs et des adverbes pour se constituer une banque de mots. À l'aide de cette banque, et en choisissant les mots au hasard, vous devez former des phrases qui respectent les schémas suivants:

sujet + verbe + complément du verbe

sujet + qualificatif + verbe + adverbe

verbe + adverbe + adverbe + adverbe

sujet + qualificatif + qualificatif + qualificatif + verbe

nom + nom + nom + nom + nom

Il y a + préposition + article + nom + préposition + article + nom

sujet + verbe + verbe + verbe + verbe

adverbe + adjectif + article + nom + adjectif!

Quelles sont les associations de mots qui vous plaisent le plus? Essayez de dire pourquoi.

Ponctuation

1. Observation

Observez les signes de ponctuation dans les extraits suivants:

a) "Bonjour Lézard!" "Bonjour, Fourmi!"

b) "Dis-moi, que fais-tu donc l'ami,
Oisif au soleil, sur la route?"

c) "Tu le vois, je bâille et j'écoute
Le bruit du vent dans le blé mûr.

d) Ensuite, dans un trou du mur
J'irai me blottir quelques heures."

e) "Eh quoi! malheureux, tu demeures
Des jours entiers sans travailler!

f) Tu passes ta vie à bâiller?"

2. Classement
Pourriez-vous, à l'aide des lettres qui précèdent ces six phrases, former trois sous-ensembles que vous identifierez par les signes particuliers à chacun de ces trois groupements?

3. Identification
Complétez les phrases suivantes; elles constituent le corrigé de l'exercice précédent.

Les phrases a et _____ se terminent par un point _____ .
Les phrases _____ et f se terminent par un point _____ .
Les phrases _____ et _____ se terminent tout simplement par un _____ .

4. Emploi

Vous avez sûrement remarqué que ces trois sortes de points s'emploient dans des phrases de genres différentes.

Le **point** s'emploie dans une phrase affirmative (**ex.:** J'écoute le bruit du vent dans le blé mûr.) ou dans une phrase négative (**ex.:** Je **n'**écoute **pas** le bruit du vent dans le blé mûr.)

Le **point d'interrogation**, lui, s'emploie dans une phrase interrogative directe comme nous l'avons déjà vu.
(**Ex.:** Que fais-tu sur la route?)
Mais, on ne mettrait pas de? si on disait: J'aimerais savoir ce que tu fais sur la route. La raison en est bien simple: c'est une phrase interrogative indirecte.

Enfin, **le point d'exclamation** se met après une exclamation qui peut être:

a) un mot ou un groupe de mots (que l'on appelle une interjection);
Ex.: Hélas! je n'ai pu assister à la joute.
      Eh bien! que veux-tu que je fasse?
      Oh! C'est un menteur, un malhonnête!

b) une phrase
Ex.: Il n'est pas gêné, ce garçon!
      Tu mourras cet hiver, Lézard!

5. Application
Lisez ce texte. Il vous fera comprendre l'importance des majuscules et des signes de ponctuation.

la librairie est la maison de mes rêves il y a dans la vitrine un grand livre la lumière laisse sur les feuilles un large rond La Fontaine quel beau livre relié en rouge doré sur tranches jamais jamais je n'aurai un beau livre comme celui-là je ne voudrais faudrait le rendre qu'il est grand les pages sont grandes et les lettres grosses bien dessinées bien noires la première ligne de chaque fable commence par une grande lettre rouge et or je regarde d'aussi près que je peux mon nez s'aplatit sur la vitre des filets d'or sertissent tantôt une jolie chèvre tantôt un lapin que c'est joli que c'est joli

Relisez-le à présent en changeant l'orientation de votre livre. Quelle conclusion tirez-vous?

La librairie est la maison de mes rêves. Il y a dans la vitrine un grand livre. La lumière laisse sur les feuilles un large rond: La Fontaine! Quel beau livre, relié en rouge, doré sur tranches! Jamais, jamais, je n'aurai un beau livre comme celui-là. Je ne voudrais; faudrait le rendre. Qu'il est grand! Les pages sont grandes, les lettres grosses, bien dessinées, bien noires. La première ligne de chaque fable commence par une grande lettre rouge et or. Je regarde d'aussi près que je peux, mon nez s'aplatit sur la vitre; des filets d'or sertissent tantôt une jolie chèvre, tantôt un lapin... Que c'est joli! que c'est joli!

J. Franck, Croville éditeur

Posez à l'endroit approprié la majuscule, le point, le point d'interrogation et le point d'exclamation.

a) ne lui laisse pas faire ce qu'il veut

b) soudain, rex se détacha et mordit denis, un jeune enfant

c) lorsque le poisson se décrocha, je poussai un oh de surprise Nigaude prends-le ici me dit jean-rené

d) t'es-tu blessé avec l'hameçon

e) j'aimerais savoir si le poisson mord encore à cette heure de la journée

f) oh quelle truite magnifique

Ponctuez ce texte correctement après l'avoir copié dans votre cahier.
Vive l'eau des fontaines - Le petit prince rencontra un marchand de pilules perfectionnées qui apaisent la soif On en avale une par semaine et l'on n'éprouve plus le besoin de boire
— Pourquoi vends-tu ça dit le petit prince
— C'est une grosse économie de temps Les experts ont fait des calculs On épargne cinquante-trois minutes par semaine
— Que fait-on de ces cinquante-trois minutes
— On en fait ce que l'on veut
"Moi, se dit le petit prince, si j'avais cinquante-trois minutes à dépenser, je marcherais tout doucement vers une fontaine

Antoine de Saint-Exupéry, Le petit prince

Faites de même avec celui-ci. Vous remplacerez les **astérisques** par le signe approprié.

Se couper la patte pour être libre!

Ludger nonchalamment continua*

On avait mis le piège à un bouleau gros comme ma jambe* Quand nous sommes retournés une semaine plus tard, l'arbre était tout déchiré, comme flagellé par un fouet* C'était le loup avec ses griffes et ses dents*

- Tu l'as-vu*
- Oui* Il était là, couché, hypocrite, immobile avec ses yeux comme des trous de fusil, la chaîne du piège tordue* Il nous regardait*

* Puis*

* Puis* je te l'ai dit* paff* Quand on a ouvert le piège, on a vu dans sa patte la trace de ses dents* il avait commencé à se manger pour être libre* C'est tout *

Félix Leclerc, Pieds nus dans l'aube.

Expression

Vous êtes à la pêche avec un ami qui en est à sa première expérience. Plusieurs fois au cours de la matinée, il a laissé involontairement s'enfuir quelques bonnes prises.

De votre côté, rien n'a mordu à l'appât. Vous devenez de plus en plus agressif. Soudain, la canne à pêche de votre ami est traînée dans toutes les directions. Il la soulève et, tout au bout, un(e) magnifique... Il l'approche de l'endroit où vous pêchez et... flouc! à l'eau!

Vous décidez alors de vous "vider le coeur". Écrivez, sous forme de dialogue, la querelle verbale que vous avez eue avec votre ami.

Évaluation

Lisez votre texte à la classe. Discutez ensuite des points suivants.

1. Ce texte est-il assez vivant pour que l'on ait l'impression, en l'écoutant, qu'il s'agit d'une vraie querelle que les deux pêcheurs auraient eue?

2. Écoutez une seconde fois le texte et dites à quels endroits celui qui l'a écrit aurait dû placer le point, le point d'interrogation et le point d'exclamation à la fin de ses phrases.
Comparez ensuite vos réponses aux siennes.

3. Dans quelle catégorie classez-vous ce texte: très bon? bon? faible?
Expliquez votre choix.

Chapitre 7

Un quartier de Saint-Jérôme en flammes

La nuit dernière, Saint-Jérôme a connu son plus gigantesque incendie depuis la guerre. Des conditions étranges font soupçonner un incendiaire. En effet, 15 minutes avant le début du sinistre, un coup de téléphone anonyme avait provoqué une fausse alerte des pompiers.

Vers 23:30, le gardien de nuit des entrepôts de bois de la compagnie Totem, M.G. Simon, donnait l'alerte. Malgré les efforts de 500 pompiers, 200 000 kg de bois, comprenant du pin, du sapin, du cèdre, du merisier et plusieurs autres espèces, partirent en fumée. Après une évaluation sommaire, on a estimé à un million de dollars les pertes ainsi causées.

Au cours de la nuit, tout un quartier a dû être évacué. Des camions, une voiture privée, un autobus et quelques motocyclettes ont subi de graves dégâts. Une maison a légèrement été endommagée.

C'est de justesse que l'on a évité que les flammes n'atteignent un réservoir contenant 40 000 litres d'essence. Les flammes montaient à une quinzaine de mètres de hauteur et la colonne de fumée était visible à 10 kilomètres à la ronde.

Le président de la compagnie Totem, M. R. Biron, a ouvertement parlé d'un incendie volontaire et la brigade criminelle a entrepris une enquête.

Compréhension du message

1. Où trouve-t-on habituellement un texte de ce genre?

2. Quel est le but de l'auteur en écrivant ce texte?
Veut-il nous informer, nous émouvoir, nous divertir?

3. Si on supprimait le dernier paragraphe, le premier serait-il aussi nécessaire qu'il l'est présentement?

4. Quelle différence importante remarquez-vous si on supprime le premier et le dernier paragraphes?

5. Ce texte est-il difficile à comprendre? Pourriez-vous le résumer oralement?

Ponctuation

La virgule

1. Identification
Relevez dans le texte les phrases contenant des virgules.

2. Observation
Lisez à voix haute ces phrases. Essayez ensuite de dire pourquoi on a placé une virgule à ces endroits.

3. Classez en trois ensembles les cas d'emploi de la virgule que vous avez relevés dans le texte.

4. Découverte de la loi
On emploie la virgule après un _____ placé en début de phrase.
On pose aussi la virgule pour_____ les mots dans une_____ .
On place enfin entre virgules un mot ou un groupe de mots qui nomme d'une autre façon une personne ou une chose dont on vient de parler.

5. Application
Posez la virgule à l'endroit approprié dans les phrases suivantes.

Vers minuit des milliers de personnes étaient déjà sur les lieux du sinistre.

Des hommes des femmes des enfants accouraient de partout par suite de l'annonce de cette nouvelle à la télévision.

Depuis déjà quelques heures des pompiers des policiers des volontaires s'affairent pour maîtriser l'élément destructeur.
Immédiatement après que l'incendie fut maîtrisé le président le vice-président et le directeur général tenaient une conférence de presse.

Le gardien de nuit des entrepôts de bois de la compagnie Totem M. G. Simon a donné l'alerte dès 23:30.

6. Résumé

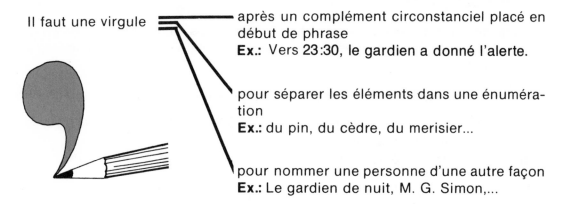

Il faut une virgule

après un complément circonstanciel placé en début de phrase
Ex.: Vers 23:30, le gardien a donné l'alerte.

pour séparer les éléments dans une énumération
Ex.: du pin, du cèdre, du merisier...

pour nommer une personne d'une autre façon
Ex.: Le gardien de nuit, M. G. Simon,...

Entraînement à l'expression

1. Reformulation
Écrivez, d'une ou de plusieurs façons, les phrases suivantes.
Vérifiez, après chaque formulation, si votre phrase est acceptable. Vous poserez les virgules et les points aux endroits appropriés.

a) Saint-Jérôme a connu la nuit dernière son plus gigantesque incendie depuis la guerre.

b) Vers 23:30, le gardien de nuit des entrepôts de bois de la compagnie Totem donnait l'alerte.

c) Malgré les efforts de 500 pompiers, dont six furent blessés, 200 000 kg de bois valant plus d'un million de dollars partirent en fumée.

d) Tout un quartier a dû être évacué durant la nuit.

e) C'est de justesse que l'on a évité que les flammes n'atteignent un réservoir contenant 40 000 litres d'essence.

f) La brigade criminelle a entrepris une enquête.

2. Suppression d'informations

a) Vous ignorez la cause de l'incendie. Récrivez le premier paragraphe.

b) Vous ignorez le nom de la compagnie de bois. Récrivez la première phrase du deuxième paragraphe.

c) Vous ignorez que six pompiers ont été blessés mais un représentant de la compagnie Totem vous a dit qu'il estimait à plus d'un million de dollars les pertes causées par le feu.

Récrivez la deuxième partie de la phrase qui constitue le deuxième paragraphe.

d) Vous ignorez qu'un réservoir contenant 40 000 litres d'essence se trouvait à proximité du lieu de l'incendie.
Récrivez le quatrième paragraphe.

e) Vous ignorez la déclaration du président de la compagnie.
Récrivez le dernier paragraphe.

3. Le plan du texte

Le premier paragraphe constituera l'introduction si on y retrouve les informations suivantes:

a) le lieu où l'événement s'est produit; _____

b) le temps;   _____

c) l'auteur;   _____

d) le sujet.   _____
Peut-on dire que le premier paragraphe constitue l'introduction?

Les autres paragraphes, à l'exception du dernier, formeront le corps du texte ou le développement si l'on y trouve l'explication plus ou moins détaillée de l'événement.

a) Vers 23:30, le feu se déclare
alerte;

b) présence de 500 pompiers ne suffit pas pour sauver 200 000 kg de bois évalués à un million de dollars;

c) nécessaire d'évacuer tout un quartier;

d) camions et voitures brûlés;

e) pu épargner **40 000** litres d'essence;

f) flammes montent à 15 mètres et sont visibles jusqu'à 10 kilomètres.
Peut-on dire que ces six points apportent des précisions à ce qui est dit dans l'introduction?

Le dernier paragraphe constituera la conclusion ou l'achèvement si l'événement est appelé à avoir des suites.

a) enquête par la brigade criminelle.
Peut-on dire que le dernier paragraphe constitue la conclusion?

Expression

Hier, en fin d'après-midi, alors que vous assistiez au dernier cours de la journée, un incendie s'est déclaré à l'école. Racontez cet événement à la manière d'un journaliste qui aurait été délégué par son journal pour faire un reportage dans un hebdomadaire local.

Relisez attentivement le texte donné au départ ainsi que le plan de ce même texte.

Évaluation

Lisez votre texte au groupe. Discutez ensuite des points suivants.

1. Trouve-t-on dans l'introduction les renseignements suivants: l'événement (l'incendie), l'endroit, le temps (heure et jour) et la cause.

2. La deuxième partie du texte (qui peut compter un ou deux paragraphes) apporte-t-elle des précisions sur ce qui est dit dans l'introduction?

3. Le dernier paragraphe forme-t-il la conclusion?

4. L'auteur du texte a-t-il placé les virgules au bon endroit?

5. Si ce texte paraissait dans un journal, croyez-vous qu'il serait assez précis pour que les lecteurs le comprennent facilement?

6. Selon vous, ce texte est-il bien réussi? réussi? ou peu réussi?

Chapitre 8

Ce mot* se termine-t-il par é, ée ou er ?

1. Observation

Lisez ces mots. Que remarquez-vous en ce qui concerne la façon d'écrire la finale de ceux-ci ?

café	calendrier	pavé	bonté	portée
cheminée	cité	obscurité	allée	propriété
sentier	araignée	autorité	volonté	tournée
journée	société	rangée	musée	poignée
année	jardinier	clarté	épée	qualité
matinée	plombier	potager	gelée	vallée
cahier	charpentier	majesté	giboulée	santé
dictée	menuisier	passager	arrivée	rentrée

quantité	boucher	fumée	plancher	sécurité
entier	boulanger	durée	humidité	chaussée
tablier	épicier	utilité	extrémité	prospérité
rosée	journalier	vérité	simplicité	localité
fée	beauté	escalier	pensée	foyer
entrée	degré	trophée	soirée	curiosité
chevalier	fossé	armée	fierté	blessé
métier	éternité	pitié	propreté	sincérité
destinée	activité	piété	natalité	premier

* Nous n'avons retenu que des noms pour former cette liste.

2. Classement

A. Dans cette liste, quels sont les mots auxquels on peut appliquer le truc suivant : un nom au féminin s'écrit généralement avec deux e ?
Ex.: une fé**e** (respecte le truc)
une quantité (ne respecte pas le truc)

B. Quels mots de cette liste pouvez-vous faire précéder de l'article **une** et qui ne respectent pas le truc du nom qui, au féminin, prend deux e ? Voyez à ce sujet le deuxième exemple de A.

C. Dans cette liste, seulement sept (7) mots devant lesquels on peut placer **un** se terminent soit par **é**, soit par **ée**. Relevez-les et essayez d'en trouver d'autres pour compléter votre liste.

Quelles constatations pouvez-vous faire sur vos observations ?

D. Il existe enfin, dans cette liste, des mots se terminant par **er**. Seul un article masculin (l', le, un) peut être placé devant eux. Pourquoi?
Qu'indiquent surtout ces mots à finales en **er**?

3. Faisons le point.

A. Il semble exister, si l'on s'appuie sur la liste donnée au départ, autant de mots qui respectent la règle générale d'accord en genre que de mots qui ne la respectent pas. Faites vous-même le calcul.

B. Il existe quelques cas cocasses que l'on peut facilement mémoriser, entre autres les mots musée et trophée.

C. Enfin, un bon nombre de noms se terminent par **er**. Qu'indiquent surtout ces mots?

Quelle(s) conclusion(s) tirez-vous en ce qui concerne le réflexe orthographique à développer lorsque vous devez écrire un nom qui se termine par le son[e] ?

60

4. Application

Terminez les phrases suivantes à l'aide de cette liste de mots.
journée, pavé, fossé, soirée (2), fierté, poignée, chaussée, blessé, escalier, gelé, matinée, fierté, musée, obscurité, quantité, dictée.

a) Au moment où l'ambulance est arrivée, le _____ gisait sur la _____ humide.

b) Il a fallu une _____ pour réparer le bras de l'_____ .

c) C'est à cause du_____ _____que l'automobiliste a dérapé pour finalement glisser dans le_____ en début de _____ , hier.

d) À la fin de la_____ , c'est avec _____que le conservateur du _____ a donné une franche_____de main à ce nouvel artiste qui ne demeurera pas longtemps dans l'_____ .

e) Dans une _____ , ce n'est pas tant la _____d'erreurs qui compte que le fait de violer un grand nombre de règles.

Votre professeur attribuera à chacun une des colonnes de la liste. Il s'agit   de classer ces mots par ordre alphabétique et ce, le plus rapidement possible. Quels seront les gagnants?

Essayez de construire, en équipes, une courte histoire en tentant d'y introduire le plus grand nombre de mots tirés de la liste. Votre texte doit avoir du sens et vos phrases, être construites correctement.

Formez des mots de la même famille que:
café, journée, année, fée, société, jardinier, activité, autorité, majesté, sécurité.

5. Évaluation

Proposez, avec l'aide de votre professeur, une ou des activités que vous pourriez faire en guise d'évaluation de ce chapitre.

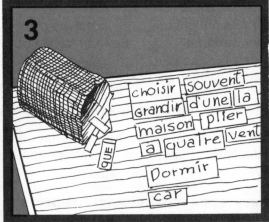

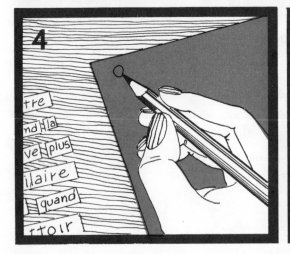

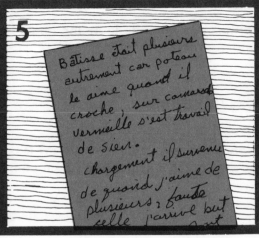

Chapitre 9

Recette
pour faire un poème dada

Voici une drôle de recette. Lisez-la. Faites ce qui est demandé et vous trouverez un produit inattendu.

Vous prenez un journal.
Vous prenez des ciseaux.
Vous choisissez dans ce journal un article ayant la longueur
que vous comptez donner à votre poème.

Vous découpez ensuite avec soin chacun des mots qui forment
cet article et vous les mettez dans un sac.
Vous agitez doucement.

Vous placez ensuite chaque coupure l'une après l'autre dans
l'ordre où elles ont quitté le sac.

Vous copiez consciencieusement; le poème vous ressemblera.

Et vous voilà "un écrivain infiniment original et d'une
sensibilité charmante, encore qu'incomprise et vulgaire".

D'après Tristan Tzara

Compréhension du message

1. À qui Tristan Tzara donne-t-il cette recette? Qu'est-ce qui le prouve?

2. Que veut nous faire comprendre celui qui a écrit ce texte?

3. Pourquoi appelle-t-on ce texte un poème?

4. Quand vous aurez fait le travail demandé, quel genre de poème vous attendez-vous à trouver? Existe-t-il déjà dans le texte des indices qui vous permettent de penser qu'il se terminera comme vous le croyez?

5. Selon vous, peut-on devenir un bon écrivain en faisant ce qui est dit dans la recette? Pourquoi?

6. Sans regarder le texte, redonnez dans l'ordre les différentes étapes à suivre pour faire le poème.

Expression

1. Un ami, à qui vous avez déjà parlé de cette recette, vous a demandé de la lui donner.
Parce qu'il s'adresse à plusieurs personnes, Tristan Tzara emploie le mot **vous**. Comme vous écrivez ce texte à un ami que vous connaissez bien, par quel mot remplacerez-vous le mot **vous** dans la recette?

2. Écrivez cette recette en n'oubliant pas de remplacer le mot **vous** par...
Pour éviter d'écrire les mêmes mots que Tristan Tzara, remplacez les traits par des synonymes et écrivez correctement les mots entre parenthèses.

_____(prendre) un journal.
_____ _____des ciseaux.
_____(choisir) dans ce journal un_____
ayant la longueur
que _____ _____donner à _____poème.
_____(découper) ensuite avec soin chacun des mots qui forment
cet article et_____les_____dans un sac.

64

_____(agiter) doucement.

_____(placer) ensuite chaque _____ l'un(e) après l'autre dans
l'ordre où ils (elles) ont quitté le sac.

_____ _____consciencieusement; le poè-
me_____ressemblera.

Conjugaison

1. Identification
Relevez les verbes du texte de T. Tzara précédés du mot **vous** et ceux du texte en-
voyé à votre ami qui sont précédés du mot **tu**.
Indiquez, après **vous** et **tu**, la personne grammaticale.
Écrivez enfin le verbe (l'infinitif).
Voici un exemple.

Texte de T. Tzara	Votre texte	**Verbe**
Vous (2e p. du plur.) pren**ez**	Tu (2e p. du sing.) pren**ds**	pren**dre**
Vous (2e p. du plur.) pren**ez**	Tu (2e p. du sing.) pren**ds**	pren**dre**
Vous (2e p. du plur.) choisiss**ez**	Tu (2e p. du sing.) chois**is**	chois**ir**

Que remarquez-vous en observant les finales en caractères gras?

2. Observation
Choisissez deux colonnes d'échelons qui se trouvent à la fin de votre livre.

Relevez-y les verbes et complétez le travail commencé à l'étape précédente.

3. Comparaison
À l'étape d'identification, vous avez remarqué qu'au présent,

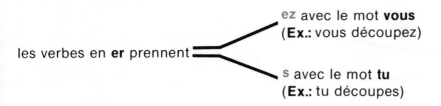

les verbes en **er** prennent

ez avec le mot **vous**
(**Ex.:** vous découp**ez**)

s avec le mot **tu**
(**Ex.:** tu découp**es**)

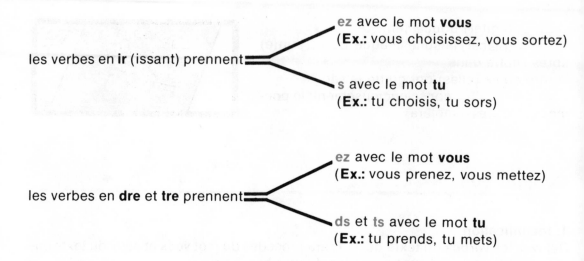

les verbes en **ir** (issant) prennent
- ez avec le mot **vous**
  (**Ex.:** vous choisissez, vous sortez)
- s avec le mot **tu**
  (**Ex.:** tu choisis, tu sors)

les verbes en **dre** et **tre** prennent
- ez avec le mot **vous**
  (**Ex.:** vous prenez, vous mettez)
- ds et ts avec le mot **tu**
  (**Ex.:** tu prends, tu mets)

En faisant l'étape d'observation, vous avez peut-être rencontré les verbes pouvoir, vouloir, valoir. Avec le mot **vous**, ils se terminent comme les autres en **ez**. Mais accompagnés du mot **tu**, comment se terminent-ils?

4. À la découverte de la règle
En étant attentif aux réponses que vous venez de donner, vous êtes capable de compléter le tableau suivant dans votre cahier.

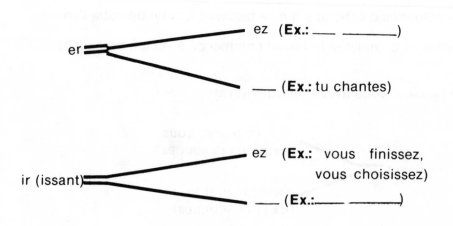

er
- ez (**Ex.:** ___ _____)
- ___ (**Ex.:** tu chantes)

ir (issant)
- ez (**Ex.:** vous finissez,
       vous choisissez)
- ___ (**Ex.:** ___ _____)

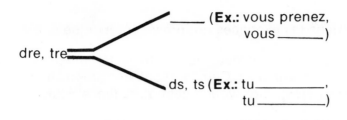

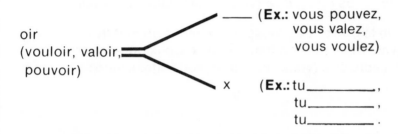

5. Vérification

Pourriez-vous, à l'aide de ce tableau, dire la règle sur la façon d'écrire les verbes au présent, à la 2ᵉ personne du singulier et à la 2ᵉ personne du pluriel?

6. Application

a) Remplacez le verbe dans chacune des phrases suivantes par deux ou trois verbes appartenant au même groupe. Aidez-vous du tableau précédent.

Tu **chantes** une chanson.	Vous **dessinez** une carte.
Tu **écris** une lettre.	Vous **comprenez** rapidement.
Tu **rends** service à tes amis.	Vous **observez** un insecte.
Tu **peux** jeter ce sac.	Vous **valez** bien plus.
Tu **veux** une bicyclette.	Vous **bâtissez** une cabane.

b) Reprenez les phrases données à l'exercice précédent et posez une question.
Remarquez ce que l'on place entre le verbe et les mots **tu** et **vous**.
Observez aussi la sorte de point que l'on place à la fin de la phrase.
Ex.: Chantes-tu une chanson ?

7. Évaluation

Mon degré de réussite dans les exercices qui précèdent indique que:

je sais que les verbes au présent, précédés du mot **tu**, se terminent par **s** excepté pouvoir, valoir et vouloir qui prennent **x**. Ceux qui sont précédés du mot **vous** prennent **ez** excepté être (vous êtes), dire (vous dites), faire (vous faites).

je ne sais pas que les verbes au présent, précédés du mot **tu**, se terminent par **s** excepté pouvoir, valoir et vouloir qui prennent **x**. Ceux qui sont précédés du mot **vous** prennent **ez** excepté être (vous êtes), dire (vous dites), faire (vous faites).

je ne suis pas certain que les verbes au présent, précédés du mot **tu**, se terminent par **s** excepté pouvoir, valoir et vouloir qui prennent **x**. Ceux qui sont précédés du mot **vous** prennent **ez** excepté être (vous êtes), dire (vous dites), faire (vous faites).

Homophones

Doit-on écrire **on** ou **ont**?

1. Identification

Tristan Tzara aurait pu écrire son texte en utilisant le mot **on** à la place de **vous**. Nous aurions obtenu ceci:

On prend un journal.
On prend des ciseaux.
On choisit dans ce journal un article
ayant la longueur que l'on compte donner à son
poème.
On découpe ensuite avec soin chacun des mots
qui forment
cet article et on les met dans un sac.
On agite doucement.
On place ensuite chaque coupure l'une
après l'autre dans
l'ordre où elles **ont** quitté le sac.
On copie consciencieusement; le poème
nous ressemblera...

Relevez dans ce texte les deux mots suivants: **on** et **ont**.
Écrivez chacun d'eux avec le mot qui est placé après.

2. Substitution

Observez la façon dont sont écrits ces deux mots (on, ont).
Pourriez-vous remplacer **tous** les **on** par le mot **quelqu'un**?
Pourriez-vous faire de même avec **ont**?

Vérifiez chaque fois si la nouvelle phrase a du sens en indiquant **oui** ou **non**.
Essayons.

On prend un journal.	⟶ Quelqu'un prend un journal.	(oui)
On prend des ciseaux.	⟶ Quelqu'un prend des ciseaux.	( )
On choisit... un article.	⟶ Quelqu'un choisit un article.	( )
On découpe avec soin...	⟶ Quelqu'un découpe avec soin...	( )
On les met dans un sac.	⟶ Quelqu'un les met dans un sac.	( )
On agite doucement.	⟶ Quelqu'un agite doucement.	( )
On place ensuite...	⟶ Quelqu'un place ensuite...	( )
Elles ont quitté le sac.	⟶ Elles quelqu'un quitté le sac.	( )
On copie consciencieusement.	⟶ Quelqu'un copie consciencieusement.	( )

3. Découverte de la loi

Que retenez-vous des observations que vous venez de faire?
C'est bien facile.
Si je peux remplacer le mot **on** par le mot **quelqu'un**, il faut écrire on.
Dans tous les autres cas, il faut écrire ont.

En résumé: on ⟶ quelqu'un
                 ont ⟶ dans tous les autres cas.

4. Vérification

Doit-on écrire **on** ou **ont** dans les phrases suivantes?

Vivre en santé
(On, Ont)_____ mange mal. (On, Ont)_____ mange beaucoup de gras et de fritu-
res. (On, Ont) _____ ne mange pas suffisamment de poisson et de fruits frais. Souvent, (on, ont) _____ croit que les gens (on, ont)_____ changé leur régime alimen-
taire et qu'ils (on, ont) _____ commencé à faire de l'exercice. Mais peu (on, ont)___
suivi les conseils que nous (on, ont) prodigués les réclames publicitaires.

5. Résumé   on ⟶ quelqu'un
             ont ⟶ dans tous les autres cas.

EN DÉTRESSE

Chapitre 10

Comprendre... avant d'agir

Il vous est sûrement arrivé de recevoir en cadeau ce que l'on appelle communément un jeu de société. Le bingo, le monopoly, le scrabble sont des exemples de ce genre de jeu.

Ceux-ci sont toujours accompagnés d'un mode d'utilisation qu'il vous faut lire (et comprendre) pour être en mesure de jouer selon les règles.
Voici un de ces jeux que vous ne connaissez probablement pas. Après l'avoir lu et avoir discuté de la marche à suivre avec quelques camarades, essayez de jouer.

Mode d'utilisation
1. Contexte
Vous survoliez la savanne quand le moteur de votre avion a pris feu. L'appareil s'est écrasé, entraînant la perte de la **majeure partie de votre équipement**. Seuls les quinze objets ci-dessous demeurent utilisables.
Vous cherchez à atteindre par vos propres moyens le **centre habité** le plus proche, situé à environ **cent cinquante kilomètres**.

2. Tâche
Les joueurs doivent ranger **par ordre d'importance** les objets disponibles afin de pouvoir se séparer des **moins utiles** en cas d'urgence.

3. Étapes

A. Classement personnel
Après vous être regroupés **en équipes de trois ou quatre,** faites votre classement **personnel**, le plus rapidement possible, sans communiquer avec les membres de l'équipe à laquelle vous appartenez.

Classement personnel

Un couteau de **chasse**   _____
Une machette   _____
Un parachute   _____
Une trousse de **premiers soins** _____
Une boîte **d'allumettes**   _____

Une médaille en **or de saint Christophe** _____
Une carte géographique **de l'Afrique** _____
Une lampe **de poche** _____
Une toile **moustiquaire** _____
Une carabine **armée de marque Winchester** _____
Une flûte **à bec** _____
Neuf litres **de kérosène** _____
Une bouteille **de whisky irlandais** _____
Une boîte **de concentré** de nourriture de 2 kg _____
Un miroir _____

B. Moyenne de l'équipe
Faites, en équipe, le classement moyen obtenu pour chaque objet.
Ex.: parachute 6,7; miroir 6,5.

C. Classement final
Décidez, **au niveau de votre équipe**, du classement **optimal**.
Il s'agit, à l'intérieur d'une période régulière d'enseignement, de **faire consensus** au niveau de votre équipe de travail sur le classement qui semble le plus approprié.

À cette fin:
approchez logiquement le problème; sachez écouter le point de vue des autres;
évitez de changer d'avis uniquement pour échapper à un conflit;
défiez-vous des votes **majoritaires,** des classements moyens ou des transactions;
considérez les différences d'opinions comme utiles et non comme des obstacles aux décisions.

	Moyenne de l'équipe	Classement final
Un couteau de chasse	_____	_____
Une machette	_____	_____
Un parachute	_____	_____
Une trousse de premiers soins	_____	_____
Une boîte d'allumettes	_____	_____
Une médaille en or de saint Christophe	_____	_____
Une carte géographique de l'Afrique	_____	_____
Une lampe de poche	_____	_____
Une toile moustiquaire	_____	_____
Une carabine armée de marque Winchester	_____	_____
Une flûte à bec	_____	_____

Neuf litres de kérosène

Une bouteille de whisky irlandais

Une boîte de concentré de nourriture de 2 kg

Un miroir

Compréhension du message

1. Quel est le but de l'auteur en rédigeant son mode d'utilisation?

2. Quel(s) moyen(s) l'auteur a-t-il utilisé(s) en ce qui concerne la présentation matérielle de son texte pour qu'il soit compris le plus facilement possible par les utilisateurs?

3. Que signifie le titre de ce jeu? Vous paraît-il bien choisi? Pourquoi?

4. Est-il important de bien comprendre le sens des mots suivants ou de la partie en caractères gras dans les groupes pour jouer correctement à ce jeu? Prouvez-le.

Que se serait-il produit si l'auteur n'avait pas écrit les groupes en caractères gras sur son mode d'utilisation?

a) En détresse

b) savanne

c) **majeure partie** de votre équipement

d) les quinze objets **ci-dessous**

e) le centre habité **le plus proche**

f) situé à environ **cent cinquante kilomètres.**

g) ranger **par ordre d'importance**

h) se séparer **des moins utiles**

i) Après vous être regroupés **en équipes de trois ou quatre,** faites votre classement **personnel**

j) un couteau **de chasse**

k) une machette

l) une trousse **de premiers soins**

m) une boîte **d'allumettes**

n) une médaille **en or de saint christophe**

o) une carte **géographique de l'Afrique**

p) une lampe **de poche**

q) une toile **moustiquaire**

r) une carabine **armée de marque Winchester**

s) une flûte **à bec**

t) neuf litres **de kérosène**

u) une bouteille **de whisky irlandais**

v) une boîte **de concentré** de nourriture de 2 kg

w) Décidez, **au niveau de votre équipe,** du classement **optimal**

x) **faire consensus**

y) des votes **majoritaires**

z) transactions

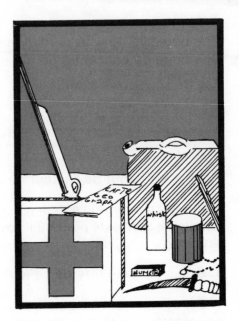

5. Quand vous avez lu **seul(e)** le **mode d'utilisation,** l'avez-vous compris immédiatement après une ou deux lectures?
La discussion en équipe, qui a suivi, constitue la preuve de ce que vous venez d'affirmer.

Expression

1. Orale
Expliquez à vos camarades comment jouer à ce jeu.

2. Écrite

Créez, à l'intention de jeunes de votre âge, un jeu de société.
En plus des règles du jeu qui devront être présentées de façon claire et nette, vous devrez également fournir le matériel nécessaire. Enfin, vous imaginerez un nom pour votre jeu.

Avant de le présenter à l'ensemble des élèves de votre classe, vous le soumettrez à quelques élèves d'une autre classe qui devront en faire l'essai, sans que vous ayez à intervenir pour fournir des explications autres que celles que vous avez écrites sur votre mode d'utilisation.

Selon les difficultés que vous observerez chez ceux qui auront eu à l'expérimenter, vous remanierez votre texte et vous le proposerez à nouveau mais, cette fois, à une autre équipe. Après cette dernière expérimentation, votre texte devrait se comprendre aisément.

Vous êtes désormais en mesure de soumettre votre jeu à vos camarades de classe, qui en feront l'essai. Ceux-ci feront de même avec le leur. Qui saura être le plus original et surtout le plus clair pour les lecteurs auxquels il s'adresse?

Homophones

Doit-on écrire **se** ou **ce**?

1. Observation

1ʳᵉ série

Il **se** sent heureux.
Il **se** croit heureux.
Il **se** dit heureux.
Il **se** pense heureux.

Se sent-il heureux?
Se croit-il heureux?
Se dit-il heureux?
Se pense-t-il heureux?

2ᵉ série

Ce fut un événement important.
Ce sera un événement important.
Ce serait un événement important.
C' (Ce) était un événement important.

Fut-**ce*** un événement important?
Sera-**ce*** un événement important?
Serait-**ce** un événement important?
Était-**ce** un événement important?

_____

***Ces deux formes sont correctes mais peu employées en français.**

Vous remarquez sans doute que la position dans la phrase de ces deux mots (**se** et **ce**) ne nous fournit pas d'indices sur la façon de les écrire car tous deux peuvent se placer au début ou à l'intérieur de la phrase. Il faut donc trouver un autre moyen pour savoir quand il faut employer **se** ou **ce**, sans risque d'erreur.

2. Substitution

En utilisant le premier bloc de quatre phrases de la première série, continuez, sur le même modèle, cette liste de phrases.
Vous vérifierez également si le système fonctionne toujours en employant **ils**.

Quelle conclusion tirez-vous de ce que vous venez d'observer?

En utilisant, cette fois, le premier bloc de quatre phrases de la deuxième série, essayez de placer au début de chacune de ces phrases le mot "**Il**" ou "**Ils**".
Pourriez-vous, par exemple, écrire:
Il ce fut un événement important?

Quelle conclusion tirez-vous de cette deuxième série d'observations?

3. À la découverte de la règle

Grâce aux observations que vous venez de faire, vous êtes sûrement en mesure de compléter la règle suivante:

On écrit __ou s' quand on peut placer devant il/elle ou ils/elles.

Ex.: Il se sent bien.

Dans tous les autres cas, on écrit __ou c'.

Ex.: Ce fut un personnage important. (Je ne pourrais dire: Il ce fut un personnage important).

4. Application

Écrivez se ou ce, selon le cas.

a)____fut d'abord une jeune fille qui____présenta à mon bureau.

b) Ils____sont rapidement enfuis avec____camion.

c) Mon père____dit qu'il aurait dû____ porter acquéreur de ____magasin.

d)____garçon____croit toujours méprisé **de ses amis.**

e) ____était une personne fort agréable qui____dépensait sans compter pour assurer le bien-être de ses amis.

f) ____règlement____doit d'être respecté **de tous.**

g) ____que je désire le plus,____est qu'il____distingue lors de la prochaine compétition.

h) ____croit-il toujours aussi brave qu'il l'était?

i) ____sera lui ou moi qui me présenterai à titre de président, lors de la prochaine élection.

Faites de même avec le texte suivant, après l'avoir reproduit dans votre cahier. Les quatre formes que vous devrez employer sont les suivantes: **se, s', ce, c'.**

Un original

"Maintenant ça change!"____écria-t-il, et désormais il appela le lit "portrait". Il était fatigué, et se rendait au portrait, et souvent, le matin, il restait au portrait,____demandant comment il appellerait la chaise berceuse, et il la nomma "réveil".

Il___levait donc,___habillait, ___asseyait sur le réveil et posait ses coudes sur la table. Mais la table ne___appelait plus table, elle___appelait maintenant "tapis". Le matin donc notre homme sortait de son portrait,___habillait,___asseyait sur le réveil devant son tapis, et___demandait comment il pourrait bien appeler les choses...

L'homme trouvait la chose amusante; toute la journée, il___exerçait à retenir les mots nouveaux. Maintenant il rebaptisait toutes les choses: il n'était plus un homme, mais un pied, et le pied était un matin, et le matin un homme...

Mais bientôt il eut du mal à traduire, car il avait presque oublié son ancienne langue et il était obligé de chercher les vrais mots dans ses cahiers bleus. À présent, il avait peur quand il lui fallait parler aux gens...

Le vieil homme en manteau gris ne comprenait plus les gens;___n'était pas encore bien grave.___qui l'était davantage,___est que les gens ne le comprenaient plus.

___est pourquoi il finit par ne plus rien dire. Il___tut, ne parla plus qu'avec lui-même, ne salua même plus.

D'après Peter Bichsel, Histoires enfantines.

Reprenez l'un des textes que vous avez écrits récemment. Soumettez-le à votre voisin qui vérifiera, s'il y a lieu, votre façon d'écrire ces deux mots. Vous discuterez ensuite sur vos corrections respectives.

5. Résumé

se   →   quand je peux placer il/ils ou elle/elles devant.
            Ex.: Il **se** croit fort.

s'   →   Il **s'**en vient.
            Il s'emploie de la même façon que **se**.
            On l'écrit ainsi quand le mot qui le suit commence par une voyelle.

ce   →   dans tous les autres cas.

c'   →   Il s'emploie de la même façon que **ce**.
            On l'écrit ainsi quand le mot qui le suit commence par une **voyelle**.
            Ex.: **C'**était un brave homme.

Chapitre 11

Des groupes-sujets parfois trompeurs

1. Observation

Que remarquez-vous en ce qui concerne l'accord du sujet et du verbe dans les phrases suivantes?

a) Cette personne chante bien.

b) Cette foule chante bien.

c) Ces deux personnes chantent bien.

d) Quelques personnes chantent bien.

e) Plusieurs personnes chantent bien.

f) Ces foules chantent bien.

g) Ce groupe chante bien.

h) Ces groupes chantent bien.

i) Plusieurs chantent bien.

j) On chante bien.

2. Classement

Regroupez ces phrases en deux sous-ensembles, selon la finale du verbe.
En vous appuyant sur les représentations graphiques (où les petites lignes vertica-les sont très importantes) marquant le rapport entre le sujet et le verbe, quelle con-clusion tirez-vous?

3. Substitution

Remplacez le sujet de chacune de ces phrases par il/ils ou elle/elles, selon le cas.
Quelle conclusion se dégage de votre travail? Si vous n'aviez pas vu la façon dont s'écrit la finale du verbe "chante", auriez-vous été tenté de remplacer on par ils et donc d'écrire "chant**ent**"? Pourquoi?

Auriez-vous été tenté de faire la même chose avec la deuxième et la septième phrases? Pourquoi?

4. À la découverte de la règle

Écrivez correctement la finale des verbes qui suivent.

a) On (rire), on (danser), on (chanter), on (s'amuser): c'est la fin de la semaine.

b) L'armée (faire) des manoeuvres ce soir.

c) On (croire) souvent que les jeunes (avoir) peu d'intérêt pour l'étude.

d) L'équipe gagnante (remporter) une éclatante victoire.

e) On m'a (dire) que ces personnes (avoir) un rôle important à jouer dans le choix des candidats.

f) Tout le monde de la région (être invité) à participer à cette soirée récréative.

Après l'exercice que vous venez d'effectuer, formulez deux lois:

a) la première concernant la façon d'écrire la finale des verbes qui s'accordent avec le mot "on";

b) la deuxième portant sur la manière d'écrire la finale des verbes qui s'accordent avec des mots comme: la foule, l'armée, le groupe, etc.

Selon vous, que veut dire le titre que nous avons donné à ce chapitre?

5. Vérification de la loi

Comparez les deux lois que vous venez de formuler à celles-ci. Les deux formulations ont-elles le même sens?

1) Quand je peux remplacer le mot **on** par le mot **quelqu'un**, le verbe qui suit a la même terminaison que ceux qui ont comme sujet il ou elle.
Ex.: En groupe, on (quelqu'un) mange beaucoup.
Mange se termine donc par **e**.

2) Quand je peux remplacer des mots comme la foule, l'armée, le groupe, l'équipe (que l'on appelle des noms collectifs) par il ou elle, le verbe qui suit a la même terminaison que les verbes qui ont comme sujet il ou elle.
Ex.: La bande (elle) se réunit chaque soir chez Daniel.
Se réunit se termine donc par **t** à cause du mot "elle" qui remplace "la bande".

6. Résumé

On ⟶ Quelqu'un ⟶ finale du verbe à la 3ᵉ pers. du sing.

Le monde ⟶ Il / Elle ⟶ finale du verbe à la 3ᵉ pers. du sing.
La foule

7. Application

Orthographiez correctement les mots entre parenthèses.

(On, ont) (apprendre) en dernière heure que les fuyards (on, ont) (être repris) non loin du pénitencier.

(On, ont) nous (apprendre) que la foule (être maîtrisé) par un groupe de policiers.

L'armée (être appelé) d'urgence pour mater un groupe terroriste qui (avoir dévasté) une aile du parlement.

La foule (avoir dansé), (avoir crié), (avoir chanté) lors de cette manifestation populaire.

(On, ont) m'a indiqué que la bande de voyous (avoir brisé) les vitres de cet édifice.

Préparez, à l'intention de votre professeur, cinq phrases où l'on trouvera les mots on et ont. Vous aurez eu soin de faire accorder le verbe qui suit.

Préparez, également à l'intention de votre professeur, cinq autres phrases mais en utilisant cette fois des noms collectifs comme "le groupe", "la foule", "un essaim", etc. Vous veillerez, là aussi, à faire les accords qui s'imposent.

À l'aide des deux séries de phrases qui précèdent, on prépare un combat d'orthographe. On divise la classe en cinq ou six équipes. Chacune d'elles écrit les phrases que le professeur aura choisies à même celles qui lui ont été fournies par les élèves. L'équipe gagnante est celle qui obtient la meilleure moyenne de groupe.

Reprenez l'un des textes que vous avez déjà rédigés et faites, s'il y a lieu, les corrections qui s'imposent en ce qui concerne l'accord du verbe après le pronom **on**. Vous ferez de même pour le verbe qui s'accorde avec un nom collectif.

Sans vous reporter aux pages précédentes, pourriez-vous, à l'aide d'exemples, reformuler les deux lois que vous venez d'étudier?

Écrivez correctement on/on n' ou ont dans les phrases suivantes.

a) Lors de la dernière collecte de sang,____a recueilli plus de cinq cents litres de sang.

b) Lors de la dernière collecte de sang,____ ____a pu recueillir que cent vingt-neuf litres de sang.

c)____ ____a pas encore réussi à vaincre le cancer.

d)____a enfin réussi à localiser l'endroit où l'avion s'est écrasé.

e)____est sur le point de produire un bâton de hockey téléguidé pour certains joueurs.

Quel moyen pouvez-vous proposer pour savoir quand il faut employer **on**? (**Ex.:** On mange.) et **on n'** (**Ex.:** On n'a pas encore soupé.)

Comment formuleriez-vous la loi au sujet de l'emploi de **on** et de **on n'**?

Chapitre 12

Des bruits étranges

La fièvre du jazz

Il est deux heures du matin. Tout à coup madame et mademoiselle sont réveillées par des sons étranges, difficiles à expliquer à une heure aussi indue. Comme ces dames ont la crainte des revenants, elles se réfugient dans la chambre de Monsieur. Mais voilà que la chambre est vide. Madame Surprenant croit à un découragement, à un suicide, à toutes sortes de malheurs possibles, et se met en train d'examiner toutes les pièces avec sa fille, Madeleine. "Ce doit être un fantôme, s'écrie madame, en entendant un bruit provenant de l'avant de la maison!"

Les voici, soudain, clouées sur le seuil du salon. Quel spectacle étrange, incroyable, singulier ! C'est M. Surprenant, en petite tenue, la figure épanouie, qui, tourné vers la radio, s'agite convulsivement. Son énorme ventre semble un ballon en détresse, ses jambes frêles remuent lamentablement: il fait peine à voir. La fièvre du jazz s'est emparée de lui.

D'après Philippe La Ferrière,
La Rue des Forges,
Albert **Lévesque**, éditeur.

Compréhension du message

1. Quelle est l'intention de l'auteur de ce texte ?

a) A-t-il voulu nous faire peur ?

b) A-t-il voulu nous informer sur la façon de vivre de cette famille ?

c) A-t-il voulu nous faire rire ?

d) Ou encore a-t-il voulu nous faire comprendre qu'on peut se trouver de nouveaux intérêts, comme la **danse, et ce, peu importe l'âge** ?

2. Expliquez la signification du titre.

3. Pourriez-vous relever, dès le début du texte, quelques indices nous montrant que le fait raconté a des chances d'être drôle lors du dénouement?

4. Qu'est-ce qui rend ce récit drôle?

5. Le nom de famille du personnage central de ce texte vous semble-t-il bien choisi?

6. Ce texte compte deux paragraphes. Quel est le rôle de chacun?

Entraînement à l'expression

A. Étude du premier paragraphe

1. Pour créer un effet d'inattendu, d'inhabituel, l'auteur aurait-il pu commencer son texte par une phrase sans verbe comme: Deux heures du matin! Croyez-vous qu'il s'agisse d'un bon moyen pour commencer un texte quand l'auteur veut créer, dès le début, un certain suspense?

2. Faites une phrase courte que vous intercalerez entre la première et la deuxième pour dire que les deux dames dormaient.

3. Transformez de deux façons différentes la deuxième phrase du texte tout en lui conservant son sens.

4. Remplacez le premier mot de la troisième phrase par un synonyme qui conviendra au reste de la phrase.

5. Remplacez le mot **vide** de la quatrième phrase par un synonyme qui conviendra au reste de la phrase.

6. Transformez la cinquième phrase du texte de façon à en former deux. La deuxième devra contenir le mot **alors**.

7. En commençant la dernière phrase du premier paragraphe par "En entendant..." complétez-la et posez la ponctuation qui convient.

8. En reprenant les phrases que vous venez de produire pour les sept premières questions, rédigez le nouveau premier paragraphe.

B. Étude du deuxième paragraphe

1. Quelle différence faites-vous entre ces deux phrases?
a) Les voici, soudain, sur le seuil du salon.
b) Les voici, soudain, clouées sur le seuil du salon.

2. Et entre celles-ci?
a) Quel spectacle!
b) Quel spectacle **étrange, incroyable, singulier!**

Montrez que les trois adjectifs sont non seulement importants mais qu'ils sont bien choisis.
Pourriez-vous remplacer ces trois adjectifs par des synonymes?
Faites-le et choisissez la meilleure version.
Pourquoi emploie-t-on des virgules dans la deuxième phrase?

3. Supprimez de la troisième phrase l'expression "C'est ... qui". Laquelle des deux phrases préférez-vous?

4. Comparez ces deux phrases:
a) M. Surprenant, en petite tenue, la figure épanouie, tourné vers la radio, s'agite convulsivement.

b) M. Surprenant est en petite tenue. Il a la figure épanouie. Il est tourné vers la radio. Il s'agite convulsivement.

Quelle phrase vous semble la meilleure? La première phrase vous permet-elle de vous représenter facilement l'apparence de M. Surprenant? Pourquoi a-t-on utilisé des virgules dans la première phrase?

5. Pourriez-vous faire trois phrases avec celle qui commence par "Son énorme ventre..."?
Quel genre de construction préférez-vous?

6. Quelle importance ont les mots en caractères gras dans cette phrase:
La fièvre **du jazz** s'est emparée de lui.

7. Serait-il possible de faire de la dernière phrase un paragraphe?

8. Récrivez le deuxième paragraphe à votre façon. Si vous avez jugé que la dernière phrase du texte ne devrait pas faire partie de ce paragraphe, faites-en un troisième qui ne contiendra que celle-là.

Expression

1. Écrite

Vous êtes seul à la maison avec votre frère (ou votre soeur). Il est 23:30. Vos parents sont allés au cinéma avec un couple d'amis et devraient rentrer bientôt.

Toutes les lumières de la maison sont éteintes. Seul le téléviseur projette un certain éclairage.

Soudain, vous entendez des bruits qui semblent provenir tantôt du sous-sol, tantôt de l'avant de la maison, tantôt de l'arrière. Vous êtes affolé et, avec votre frère (ou votre soeur), vous vous réfugiez...

Racontez cet événement en ayant soin de produire un texte qui compte trois paragraphes.

2. Orale

Racontez oralement cet événement à vos camarades en y mettant du mystère et de l'inattendu.

Homophones

Doit-on écrire: **ces** ou **ses?**

c'est ou **s'est?**

1. Observation

Ces dames ont la crainte des revenants.

Marielle est venue; **ses** soeurs aussi.

C'est M. Surprenant qui s'agite convulsivement.

La fièvre du jazz **s'est** emparée de lui.

Avant son départ, Jean a remis des cadeaux à **ses** amis.

Ces garçons-là ont du talent.

C'est hier soir que mon frère est venu.

Il **s'est** acheté un immense ballon de plage.

2. Classement

Nous avons relevé, de l'étape d'observation, quatre façons d'écrire le son SE. Les voici:

Ces	Ses	C'est	S'est
Ces dames ont...	Ses soeurs sont venues	C'est M. Surpre-nant qui...	La fièvre... s'est emparée
Ces garçons-là...	des cadeaux à ses amis	C'est hier soir que...	Il s'est acheté un ballon...

Pourriez-vous ajouter cinq phrases exemples à chacune de ces colonnes?

3. Vérification

Vérifions si les mots représentés par le son **SƐ** que vous avez employés dans vos phrases appartiennent à la bonne colonne.
Voici des moyens qui vous éviteront de vous tromper quand vous devrez écrire le son **SƐ** .

Ses ou ces
Si vous pouvez remplacer par **les** ou **des** le son **SƐ** , il s'écrit soit **ces,** soit **ses.**
Et si vous pouvez faire suivre **SƐ** du mot **là**, il s'écrit à coup sûr: **ces** .
Ex.: SƐ dames que vous voyez sur l'estrade ont aidé les jeunes.
Puis-je remplacer **SƐ** par **les** ou **des**? Oui. Le son **SƐ** s'écrira donc ces **ou** ses.
Ex.: Les dames que vous voyez sur l'estrade ont aidé les jeunes.
Puis-je ajouter à cette phrase le mot **là**? Oui. Le mot **SƐ** s'écrit donc: **ces.**
Ex.: Ces dames-**là** que vous voyez sur l'estrade ont aidé les jeunes.

S'est ou c'est
Si vous pouvez placer **il** ou **elle** devant, il s'écrit **s'est**.

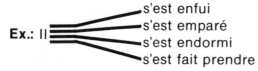

Ex.: Il

- s'est enfui
- s'est emparé
- s'est endormi
- s'est fait prendre

Et ce truc est valable même dans des phrases interrogatives. Il suffit alors de transformer la phrase en construction affirmative.
Ex.: S'est-il emparé de cette somme cette nuit?
Il s'est emparé de cette somme cette nuit.
Pourriez-vous placer **il** ou **elle** devant le son **SƐ** dans cette phrase:
SƐ elle qui est venue. Le son **SƐ** doit donc s'écrire: **c'est.**

Vos phrases étaient-elles classées dans la bonne colonne?

4. Application

Sans vous reporter aux règles que nous venons d'étudier, écrivez correctement le son **SƐ** dans les phrases suivantes. Si un ou quelques cas vous causent des difficultés, notez-les.

Vous vérifierez votre règle une fois l'exercice terminé et si, après avoir consulté votre tableau, vous hésitez encore, discutez-en avec votre professeur.

L'avion **SE** envolé à 8 heures précises.
SE le frère de Denis qui a apporté la bicyclette.
SE frères et **SE** soeurs sont tous venus lors de son anniversaire.
SE gens ont toujours su conserver leur calme.
SE l'ami de Michel qui **SE** égaré en forêt la semaine dernière.
Je ne sais pas lire mais je sais me débrouiller, disait grand-père.
Pierre **SE** blessé à une main en jouant avec **SE** objets que vous voyez près de la porte.
Je sais que **SE** lui qui **SE** emparé de **SE** objets-là.
Sait-il que **SE** mon frère qui l'a aidé à endosser **SE** vêtements?

Rédigez, en équipe de deux, cinq phrases qui contiendront le son **SE** .
Préparez ensuite le corrigé.
Enfin, oralement, proposez-les à votre institutrice qui tentera de réussir cet exercice à 100%.

En utilisant un texte que vous remettra votre professeur, et qui contient les différentes façons d'écrire le son **SE** , justifiez l'orthographe de ce mot.

Reprenez un texte que vous avez produit récemment et vérifiez l'orthographe du son **SE** .
Il n'est pas nécessaire que ce soit un travail de français.

5. Résumé

S'est / c'est

Il
- s'est emparé
- s'est enfui
- s'est endormi
- s'est fait prendre

ses / ces ⟶ les ou des
ces .... **là**
ses .... quand il ne peut être
suivi de **là**.

S'est: quand on peut placer **il** ou **elle** devant.
C'est: quand on ne peut placer **il** ou **elle** devant.

Chapitre 13

Les mots écrans
ou les mots...

Ce titre ne vous dit probablement rien pour l'instant. Cependant, quand nous aurons terminé ce chapitre, vous saurez non seulement le sens de cette expression mais vous pourrez compléter, sous la forme d'une expression synonyme, le titre de cette leçon.

1re série

1. Observation

a) Danielle **aime** les enfants.
Michelle les **aime** aussi. ⟶ Sa soeur **aime** aussi les enfants.

b) François **interprétait** les chansons de R. Charlebois.
Patrick les **interprétait** aussi. ⟶ Patrick **interprétait** aussi les chansons de R. Charlebois.

c) Marcel **conserverait** ses manuels de 5e année.
Maude les **conserverait** aussi. ⟶ Maude **conserverait** aussi ses manuels de 5e année.

2. Réflexion

a) **Dans le premier groupement de trois phrases**, seriez-vous tenté d'écrire la finale du mot en caractères gras (aime) d'une autre façon?
Si oui, comment l'écririez-vous?
Qu'est-ce qui vous aurait incité à l'écrire ainsi? Pourquoi doit-il cependant s'écrire tel qu'il l'est ci-haut?

b) **Dans le deuxième groupement**, seriez-vous tenté d'écrire la finale du mot en caractères gras (interprétait) d'une autre façon? Si oui, comment l'écririez-vous? Qu'est-ce.qui vous aurait incité à l'écrire ainsi? Pourquoi doit-il cependant s'écrire tel qu'il l'est ci-haut?

c) **Dans le troisième groupement**, seriez-vous tenté d'écrire la finale du mot en caractères gras (conserverait) d'une autre façon. Si oui, comment l'écririez-vous? Qu'est-ce qui vous aurait incité à l'écrire ainsi? Pourquoi doit-il cependant s'écrire tel qu'il l'est ci-haut?

3. À la recherche d'un truc

Quel moyen pouvez-vous employer pour éviter le piège que vous tend le mot **les**? Pour vous aider à répondre, observez dans chacun des trois groupements la transformation des deuxièmes phrases.

4. Résumé

Quand j'écris une phrase contenant le mot **les** (qui n'est pas article), ce mot (les) n'influence pas l'orthographe du verbe qui le suit.

Ex.: Monique adore   Monique   adore.
           les livres d'aventures.   **les**

Pourriez-vous proposer un autre moyen qui vous permettrait de ne jamais vous tromper quand vous devez écrire une phrase contenant le mot **les** (qui n'est pas article)?

5. Application

Mettons nos connaissances à l'épreuve.
Orthographiez correctement les verbes entre parenthèses dans les phrases suivantes.

94

a) Ces objets, je les (donner; indicatif présent) de bon coeur.

b) Je les lui (offrir; indicatif, futur simple) aussitôt que je les (recevoir; indicatif, futur simple).

c) Je les lui (offrir; indicatif présent) aussitôt que je les (recevoir' indicatif présent).

d) Il les (présenter; indicatif présent) toujours de la même façon.

e) Il les lui (remettre; indicatif **présent**), ces deux peintures québécoises.

Préparez un exercice du même genre que celui qui précède et faites-le ensuite vérifier par votre professeur.

2e série

1. Observation

a) Denis cherche-t-il encore ses patins?
   Michel les **cherche**-t-il aussi? ⟶ Michel cherche-t-il aussi ses patins?

b) Paul étudiait-il ses leçons, hier soir?
   Pauline les **étudiait**-elle aussi? ⟶ Pauline étudiait-elle aussi ses leçons?

c) Martin aiderait-il ses amis?
   Natacha les **aiderait**-elle? ⟶ Natacha aiderait-elle ses amis?

2. Réflexion

a) **Dans le premier groupement de trois phrases**, seriez-vous tenté d'écrire la finale du mot en caractères gras (cherche) d'une autre façon?
Si oui, comment l'écririez-vous?
Qu'est-ce qui vous aurait incité à l'écrire ainsi? Pourquoi doit-il cependant s'écrire tel qu'il l'est ci-haut?

b) **Dans le deuxième groupement**, seriez-vous tenté d'écrire la finale du mot en caractères gras (étudiait) d'une autre façon? Si oui, comment l'écririez-vous?
Qu'est-ce qui vous aurait incité à l'écrire ainsi? Pourquoi doit-il cependant s'écrire tel qu'il l'est ci-haut?

c) **Dans le troisième groupement**, seriez-vous tenté d'écrire la finale du mot en caractères gras (aiderait) d'une autre façon? Si oui, comment l'écririez-vous? Qu'est-ce qui vous aurait incité à l'écrire ainsi? Pourquoi doit-il cependant s'écrire tel qu'il l'est ci-haut?

3. À la recherche d'un truc

C'est encore le mot **les** qui nous tend ici un piège. La seule différence entre les phrases de la première série et celles de la deuxième, c'est que dans la première, elles sont affirmatives alors que dans la seconde, elles sont...

4. Résumé

En vous aidant du tableau correspondant de la première série et portant le même titre, formulez la loi au sujet de la façon d'écrire le mot **les** dans des phrases interrogatives.
Vous compléterez votre règle à l'aide d'un exemple.

5. Application

Mettons à nouveau nos connaissances à l'épreuve.

Orthographiez correctement les verbes entre parenthèses dans les phrases suivantes.

a) Les (avoir' indicatif, présent) -t-il, ces livres dont il nous a tant parlé?

b) Pierrette les (chercher; indicatif, présent)-t-elle encore, ses résultats d'examens?

c) Où les (avoir; indicatif, imparfait)-t-elle placées, ces cartes géographiques?

d) Quand les (avoir; indicatif, futur simple)-t-il enfin, ses skis de fond?

e) Quand les (revoir; conditionnel, présent)-t-il si ses amis devaient le quitter aujourd'hui?

Préparez un exercice du même genre que celui qui précède et proposez-le à votre professeur qui tentera de l'effectuer.
Vous aurez eu soin de préparer le corrigé qui doit l'accompagner.

3ᵉ série

1. Observation

Lisez chacun de ces couples et remarquez la façon dont s'écrit le verbe "parler" dans chacun.

Je veux   parler.
Je veux vous parler.

Je voulais   parler.
Je voulais vous parler.

Je voudrais   parler.
Je voudrais vous parler.

Je voudrai   parler.
Je voudrai vous parler.

Je peux   parler.
Je peux vous parler.

Je pouvais   parler.
Je pouvais vous parler.

Je pourrais   parler.
Je pourrais vous parler.

Je pourrai   parler.
Je pourrai vous parler.

Je sais   parler.
Je sais vous parler.

Je savais   parler.
Je savais vous parler.

Je saurais   parler.
Je saurais vous parler.

Je saurai   parler.
Je saurai vous parler.

Je dois   parler.
Je dois vous parler.

Je devais   parler.
Je devais vous parler.

Je devrais   parler.
Je devrais vous parler.

Je devrai   parler.
Je devrai vous parler.

2. Réflexion

a) **Dans la première phrase de chacun des couples,** pourquoi le deuxième verbe se termine-t-il par **er**?

b) **Dans la deuxième phrase de chacun de ces couples,** seriez-vous tenté d'écrire la finale du verbe parler d'une autre façon?
Si oui, comment l'écririez-vous?
Qu'est-ce qui vous aurait incité à l'écrire ainsi?
Pourquoi doit-il cependant s'écrire tel qu'il est ci-haut?
Le mot **vous** influence-t-il alors la finale du verbe qui le suit?
Et si vous remplaciez le mot **vous** par te, lui, leur, etc., que se produirait-il? Quelle conclusion tirez-vous sur la façon d'écrire le verbe qui suit le mot **vous** dans ce genre de phrases?

3. À la recherche d'un truc

Quel moyen pouvez-vous employer pour éviter le piège que vous tend le mot **vous**?

4. Résumé

Quand vous écrivez une phrase contenant le mot **vous**, essayez de remplacer le verbe qui le suit par battre.
Si la phrase se dit bien (sans qu'elle ait obligatoirement du sens), c'est que le verbe qui suit le mot **vous** se termine par **er**.
Ex.: Je veux vous parler. Je peux remplacer parler par battre.
              (battre)
        Parler se termine donc par **er**.

5. Application

Orthographiez correctement les verbes entre parenthèses dans les phrases suivantes.

98

a) Il aurait fallu que vous (demander) la permission avant de quitter la salle.

b) J'aurais aimé vous (parler) avant que vous ne (quitter) l'école, hier.

c) Je veux vous (donner) ce cadeau en guise d'appréciation de votre travail.

d) Quand M. Poirier doit-il vous (rencontrer) au sujet de la formation de cette équipe?

e) À quel moment devez-vous (terminer) votre travail de géographie?

f) Je voudrais que vous puissiez (rencontrer) les membres de ce comité.

g) Il aurait bien (aimer) réussir cet examen mais il n'a pu (se présenter) au jour convenu.

h) Vous devriez vous (équiper) plus convenablement pour (jouer) au hockey.

i) Que deviez-vous (chanter) à la cérémonie à laquelle vous avez été (inviter)?

j) Je voudrais vous (féliciter) pour le travail que vous avez (accomplir) jusqu'à maintenant.

En équipe de deux, préparez cinq phrases qui incluront la difficulté que vous venez d'étudier.
Vous remettrez ensuite ces phrases à votre professeur qui en choisira quelques-unes qu'il vous soumettra ensuite sous forme de test d'évaluation.

Vérifiez, dans un texte que vous avez rédigé récemment, si vous avez écrit convenablement le verbe qui suit le mot **vous**.
S'il y a lieu, faites les corrections nécessaires.

6. Et le titre de ce chapitre...

Pourriez-vous, à l'aide des indications recueillies au cours de cette leçon, le terminer?

Quand tous auront formulé leur titre, on les proposera au professeur, en expliquant les raisons d'un tel choix. Le professeur notera au tableau ces titres.

On procédera enfin au choix du meilleur en tenant compte également des justifications fournies.

Chapitre 14

Il s'agissait d'y penser.

Lisez le texte suivant et dites, sous la forme d'un bref paragraphe, comment le visiteur a réussi à se sortir de cette situation précaire sans se faire mordre par le chien.

La supériorité intellectuelle de l'homme sur l'animal

L'homme est doué d'intelligence et c'est bien souvent grâce à cette faculté qu'il réussit à vaincre des difficultés ou à se tirer d'impasses difficiles. Voici un incident qui m'a permis une fois de plus de le constater.

J'allais rendre visite à un client qui habite une maison de campagne, située sur une petite route très étroite. Arrivé à destination, je gare ma voiture à l'ombre d'un grand arbre. À peine ai-je mis le pied à terre qu'un énorme chien s'élance sur moi. Il a l'air féroce. Heureusement, il est attaché à l'arbre et je peux l'éviter. Comme il n'y a personne dans la maison, je reviens. Le chien se remet à grogner et veut se jeter encore sur moi. Sa chaîne est longue et ma voiture se trouve dans une position telle que l'animal peut facilement atteindre les deux côtés de la voiture.

Savez-vous comment j'ai pu remonter en auto sans être mordu par le chien?

Compréhension du message

1. En écrivant ce texte, quel était le but de l'auteur?
a) Voulait-il simplement nous raconter un événement qui lui est arrivé?
b) Voulait-il nous montrer qu'il était plus intelligent que l'animal?
c) Désirait-il uniquement nous divertir?
d) Ou voulait-il nous donner une preuve que l'homme est supérieur à l'animal sur le plan intellectuel?

2. De quel incident se sert l'auteur pour montrer la supériorité intellectuelle de l'homme sur l'animal?

3. Selon vous, à qui ce texte s'adresse-t-il? Justifiez votre réponse.

4. Dessinez la scène décrite dans le deuxième paragraphe.

5. À l'aide de votre dessin, montrez que le visiteur aurait pu faire preuve de plus d'intelligence.

6. Par rapport au contexte où se passe cet événement, montrez l'importance des groupes suivants:
"un client qui habite une maison de campagne, située sur une petite route très étroite."
"... je gare ma voiture à l'ombre d'un grand arbre."

7. Quelle peut être, d'après vous, l'occupation du visiteur?

Entraînement à l'expression

1. Récrivez le premier paragraphe en commençant par: "Voici un incident qui m'a permis une fois de plus de..."
Quelle formulation préférez-vous? La vôtre ou celle de l'auteur?
Les deux sont-elles acceptables? Sur quoi l'auteur veut-il attirer notre attention en commençant comme il le fait? Et vous, que mettez-vous en relief en commençant votre texte par "Voici un incident..."?

2. Pourriez-vous transformer la première phrase du deuxième paragraphe comme suit?
"Située sur une petite route très étroite, j'allais rendre visite à un client qui habite une maison de campagne."

3. Scindez la phrase suivante pour en former trois.
"J'allais rendre visite à un client qui habite une maison de campagne, située sur une petite route très étroite."
Quelle formulation préférez-vous? Pourquoi?

4. Nous avons transformé la deuxième phrase du deuxième paragraphe des deux façons que voici:
Je gare, arrivé à destination, ma voiture à l'ombre d'un grand arbre.
Je gare ma voiture à l'ombre d'un grand arbre, arrivé à destination.

102

En incluant la phrase du texte, laquelle des trois préférez-vous? Toutes trois sont-elles acceptables?

5. Observez les phrases suivantes:
À peine ai-je mis le pied à terre que s'élance sur moi un énorme chien.
Un énorme chien s'élance sur moi, à peine ai-je mis le pied à terre.

En incluant la phrase de l'auteur, laquelle des trois préférez-vous? Les trois vous semblent-elles acceptables?

6. Pourriez-vous grouper dans une même phrase les deux suivantes?
"À peine ai-je mis le pied à terre qu'un énorme chien s'élance sur moi. Il a l'air féroce."

Il n'est pas nécessaire de reproduire mot à mot la deuxième. Il faut cependant que vous en conserviez le sens.

7. Dans la phrase qui commence par le mot "heureusement", pourriez-vous changer la place de ce même mot tout en conservant le sens de la phrase?

8. Continuez la phrase suivante:
Comme sa chaîne est longue et que ma voiture se trouve dans une position telle que l'animal peut facilement atteindre les deux côtés de la voiture, je suis donc...

9. Formulez d'une autre façon la question qui constitue la dernière phrase du texte. N'oubliez pas de poser le point d'interrogation.

10. Pourriez-vous remplacer les traits par un mot, un groupe de mots ou une expression synonyme?
Vous ferez de même pour le titre.

_____

J'_____ un client _____ une maison de campagne, située sur une petite route très étroite. Arrivé_____ , je_____ _____ _____ à l'ombre d'un grand arbre. À peine ai-je mis le pied à terre qu'un_____ chien s'élance sur moi. Il_____ féroce._____, il est attaché à l'arbre et je peux l'éviter. _____ il n'y a personne dans la maison, je reviens. _____ _____ se remet à grogner et veut se jeter encore sur moi. Sa chaîne est longue et _____ _____ est _____ dans une position telle que l'animal peut facilement atteindre les deux côtés de la voiture. Savez-vous comment j'ai pu remonter en_____ sans être mordu par le_____?

Le mot se termine-t-il par é (ée, és, ées) ou er ou ez?

Lisez le texte suivant et vous saurez ainsi comment le visiteur s'y est pris pour éviter de se faire mordre. Comparez sa façon de faire avec la vôtre. Quelle conclusion en tirez-vous? Il vous servira aussi à faire quelques observations sur la façon d'écrire la finale des verbes se terminant par le son[e].

Première série
La supériorité intellectuelle de l'homme

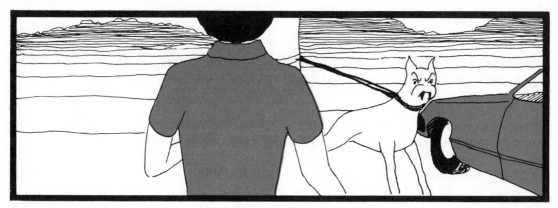

L'homme est doué d'intelligence et c'est bien souvent grâce à cette faculté qu'il réussit à vaincre les difficultés ou à se tirer d'impasses difficiles. Voici un incident qui m'a permis une fois de plus de le constater.

J'allais rendre visite à un client qui habite une maison de campagne, située sur une petite route très étroite. Arrivé à destination, je gare ma voiture à l'ombre d'un grand arbre. À peine ai-je mis le pied à terre qu'un énorme chien s'élance sur moi. Il a l'air féroce. Heureusement, il est attaché à l'arbre et je peux l'éviter.

Comme il n'y a personne dans la maison, je reviens. Le chien se remet à grogner et veut se jeter encore sur moi. Sa chaîne est longue et ma voiture se trouve dans une position telle que l'animal peut facilement atteindre les deux côtés de la voiture.

Savez-vous comment j'ai pu remonter en auto sans être mordu par le chien?

Je me suis mis à tourner lentement autour de l'arbre tout en restant hors de portée des crocs menaçants. En courant après moi, le chien a enroulé sa chaîne autour du tronc. Bientôt, elle était assez courte pour qu'il ne puisse plus atteindre la voiture.

Ainsi, l'intelligence, qui différencie l'homme de la bête, a sans doute contribué à sauver l'espèce dans les temps préhistoriques alors qu'elle était aux prises ave des mastodontes beaucoup plus puissants que de simples dogues.

Première série

1. Observation

Observez attentivement les finales en caractères gras dans le premier groupe de phrases. Faites les accords dans les autres groupes.

1er groupe
L'homme est dou**é** d'intelligence.
La femme est dou**ée** d'intelligence.
Les hommes sont dou**és** d'intelligence.
Les femmes sont dou**ées** d'intelligence.
Les hommes et les femmes sont dou**és** d'intelligence.

2e groupe
Le fauteuil est rembourré.
La chaise est _____ .

Les fauteuils sont _____.

Les chaises sont _____.

Les fauteuils et les chaises sont _____.

105

3e groupe

Mon client habite une maison située sur une petite route.

Ma cliente habite une maison _____ sur une petite route.

Mon client et ma cliente habitent une petite maison_____ sur une petite route.

Mes clients habitent une maison _____ sur une petite route.

Mes clientes habitent une maison_____ sur une petite route.

4e groupe

Arrivé à destination, le visiteur gare sa voiture.

_____ à destination, la visiteuse gare sa voiture.

_____ à destination, les visiteurs garent leurs voitures.

_____ à destination, les visiteuses garent leurs voitures.

_____ à destination, le visiteur et la visiteuse garent leurs voitures.

5e groupe

Le chien est _____ à un arbre.

La chienne est attachée à un arbre.

Les chiens sont _____ à un arbre.

Les chiennes sont _____ à un arbre.

Le chien et la chienne sont _____ _____ à un arbre.

6e groupe

L'objet était caché sous le lit.

Les objets avaient été_____ sous le lit.

L'objet aurait été_____ sous le lit.

Les objets ont été_____ sous le lit.

Les objets seraient _____ sous le lit.

2. Substitution

Remplacez tous les mots où une partie est en caractères gras de même que ceux que vous deviez accorder pour terminer l'exercice précédent par battre ou battu. Évaluez ce qui se dit le mieux et non ce qui a le plus de sens.

3. À la découverte de la règle

Quelle règle se dégage des observations que vous venez de faire? Pour vous aider, complétez la phrase suivante.

Quand un verbe se termine par le **son** [e] et que je peux le remplacer par _____,
ce verbe peut se terminer par ___,___,___, ___ ,parce qu'il s'accorde en genre et
en nombre avec le mot auquel il se rapporte.

4. Application

Après avoir fait l'accord des mots entre parenthèses, placez dans la case appropriée la lettre qui précède la phrase.

	é	ée	és	ées
a) (Épuiser), l'homme s'est évanoui en bordure de la route.				
b) Denise et Marie sont (arriver) en retard à midi.				
c) Cette dame a été (heurter) par une automobile.				
d) J'aurais (aimer) que tu viennes souper chez moi.				
e) Denise et Michel ont été (féliciter) par leurs camarades pour leur excellente performance en natation.				
f) L'élève (apprécier) par son professeur réussit souvent mieux en classe.				
g) J'habite une petite maison (situer) sur une colline.				
h) Je dois (demeurer) à la maison ce soir.				
i) Cette somme d'argent a été (voler) par de jeunes voyous.				
j) Si tu veux réussir, tu dois (travailler) beaucoup.				

5. Résumé

Si je peux remplacer le verbe se terminant par le **son** [e] par le verbe battu, ce verbe en [e] peut se terminer de quatre façons différentes.

é (masc., sing.)
Ex.: Il est félicit**é** par ses amis.
       (battu)

és (masc., plur.)
Ex.: Ils sont félicit**és** par leurs amis.
       (battus)

ée (fém., sing.)
Ex.: Elle est félicit**ée** par ses amis.
       (battue)

ées (fém., plur.)
Ex.: Elles sont félicit**ées** par leurs amis.
       (battues)

Deuxième série

1. Observation

Observez attentivement les finales en caractères gras dans le premier groupe de phrases. Faites les accords dans les autres groupes après avoir remarqué que dans ces phrases il n'est pas possible de remplacer le verbe par battu.

1er groupe

L'homme réussit à se tir**er** d'impasses difficiles.

Voici un incident qui m'a permis de le constat**er**.

Heureusement que j'ai pu évit**er** le chien.

Celui-ci se remet à grogn**er** et veut se jet**er** sur moi.

2e groupe

Savez-vous comment j'ai pu remonte___ dans l'auto?

Je me suis mis à tourne___ autour de l'arbre.

J'ai ainsi forcé le chien à enroule___ sa chaîne autour du tronc.

L'intelligence de l'homme a contribué à sauve___ l'espèce.

108

3e groupe

Le visiteur doit alle ____ rendre visite à un client.

Le chien a tenté de s'approche ____ de l'agent d'assurances.

La chaîne a dû résiste ____ aux efforts du chien.

L'homme a dû rebrousse ____ chemin.

4e groupe

L'homme a su prouve ____ sa supériorité intellectuelle sur l'animal.

Le chien voulait s'élance ____ sur le visiteur.

La chaîne aurait pu céde ____ sous la force du chien.

L'homme a réussi à remonte ____ dans sa voiture sans difficulté.

2. Substitution

Remplacez les traits dans les 2e, 3e et 4e groupes par **battre** ou **battu**. Évaluez ce qui se dit le mieux et non ce qui a le plus de sens.

3. À la découverte de la règle

Quelle règle se dégage des observations que vous venez de faire? Pour vous aider, complétez la phrase suivante.

Quand un verbe se termine par le **son** $[e]$ et que je peux le remplacer par _____, ce verbe se termine par **er**.

4. Application

Après avoir fait l'accord des mots entre parenthèses, placez dans la case appropriée la lettre qui précède chacun des mots à accorder.

battu é	ée	és	ées	battre er

Même si cette personne était (a) épuisé____ , elle a su (b) rivalis**e** ___ d'adresse pour (c) remport**e**___ la victoire.

(d) Appréci**é**___ de leurs camarades, ces deux frères ont su (e) prouv**e** ___ à nouveau leur habileté.

L'homme se sentant (f) fatigu**e**___ , il a (g) décid**e**___ de se (h) repos**e**___ .

Ces deux jeunes filles ont été (i) transport**é**___ à l'hôpital où le médecin a dû (j) pans**e**___ leurs nombreuses plaies.

En orthographe, il faut savoir (k) dout**e**___ .

5. Résumé

Si je peux remplacer le verbe se terminant par le son **e** par le verbe battre, ce verbe se termine par **er**.

110

1. Observation

Observez attentivement les finales en caractères gras dans le premier groupe. Faites les accords dans les autres groupes après avoir remarqué que dans ces phrases il n'est pas possible de remplacer le verbe ni par battre ni par battu.

1er groupe

Si vous travaill**ez** bien, vous réussir**ez**.
Vous apprécier**ez** sûrement ce spectacle.
Vous lir**ez** d'abord le texte; ensuite, vous répondr**ez** aux questions.
Viendr**ez**-vous à la patinoire ce soir?
N'hésit**ez** pas à poser des questions.

2e groupe

Quand vous utilise____ un appareil électrique, vous deve____ être prudent.
Vous racontere____ cet incident à vos amis.
Vous vous deve____ de répondre convenablement à cette demande.
Remette____ -vous votre travail à midi?
Ne mange____ pas trop de sucre.

3e groupe

Ave____-vous aimé cette émission?
Vous deve____ pratiquer au moins un sport.
Fortement éprouvé par ce deuil, vous saure ____ cependant réagir.
Que devrie____-vous faire si vous tombie____ à l'eau et que vous ne sachi____ pas nager?

4e groupe

Vous les aimie____ pourtant ces fruits, autrefois.
Autrefois, les aimie____ -vous ces fruits?
Vous pourrie____ les vaincre si vous le voulie____ .
Que deve____ -vous faire si vous croye____ avoir raison?

2. Substitution

Est-il possible de remplacer les traits dans les 2e, 3e et 4e groupes par battre ou battu? Que faire alors?

3. À la découverte de la règle

Quelle règle se dégage des observations que vous venez de faire? Pour vous aider, complétez la phrase suivante.

Quand un verbe a pour sujet le mot **vous** (**ex.:** vous chant**ez**, vous dev**ez** chanter, vous lui chant**ez** une berceuse, chant**ez**-vous souvent?), il se termine par_____.

4. Application

Après avoir fait l'accord des mots entre parenthèses, placez dans la case appropriée la lettre qui précède chacun des mots à accorder.

	battu				battre	vous est sujet
	é	ée	és	ées	er	ez
Même si le salaire n'est pas très (a) éleve____, (b) aimerie____ -vous (c) travaille____au cours des prochaines vacances?						
Vous ne (d) pouve____ (e) dédaigne____ l'aide de ceux qui vous sont (f) dévoué____.						
Cette élève a été (g) grondé____ pour son indiscipline. Qu' (h) aurie____-vous fait à la place de son institutrice (i) exténué____?						
(j) Effray____ par ces deux chiens, l'enfant est demeurée (k) clou____ sur place.						
Vous (l) n'ignore____pas que vous (m) devrie____tous être (n) appréci____ à votre juste valeur.						

5. Résumé

Quand un verbe a pour sujet le mot **vous**, il se termine par **ez**.

En résumé

Que retenez-vous des trois séries d'activités que vous venez d'effectuer? Résumez vos observations en complétant le tableau qui suit.

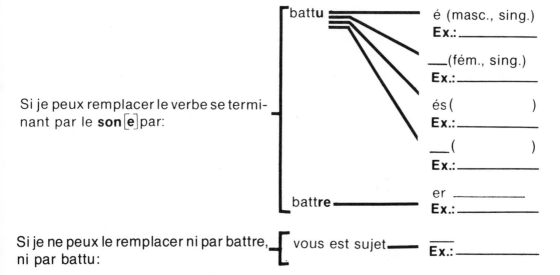

Si je peux remplacer le verbe se terminant par le **son** [e] par:

battu

é (masc., sing.)
Ex.:_____

___(fém., sing.)
Ex.:_____

és ( )
Ex.:_____

___( )
Ex.:_____

battre

er _____
Ex.:_____

Si je ne peux le remplacer ni par battre, ni par battu:

vous est sujet
Ex.:_____

Pour évaluer votre compréhension de ces trois séries d'exercices, votre institutrice vous proposera quelques phrases où vous devrez écrire, selon le cas, **é, ée, és, ées, er** ou **ez**.

Saurez-vous répondre aux attentes de votre institutrice? C'est ce que nous verrons sous peu. En ce qui me concerne, cela ne fait aucun doute!

Expression

Racontez, comme s'il s'agissait d'un court texte devant paraître dans une revue comme Sélection, s'adressant donc à un grand nombre de lecteurs, un incident que vous avez vécu et où vous avez dû faire preuve d'intelligence.

Vous aurez soin de choisir un titre approprié, en accord avec ce que vous voulez prouver.

Chapitre 15

bb, cc, dd, ff, gg, hh, jj, kk, ll, mm, nn, pp, qq, rr, ss, tt, vv, ww, xx, zz

Voici une liste de mots provenant des échelons 16, 17 et 18.

1. Je lis et j'observe.

sonner	allée	carré	étoffe
mousse	caisse	mille	touffe
boisson	remettre	guerre	personnage
passé	travailleur	aller	renouvellement
basse	bouteille	grossir	terreur
somme	hirondelle	illustre	terrible
comment	jeunesse	tonneau	tailleur
travailler	demoiselle	médaille	richesse

possible	beurre	dette	continuellement
promesse	lisse	approcher	tendresse
sagesse	arracher	vallée	mettre
battre	papillon	irriter	moisson
charbonnage	chauffeur	attaque	roulotte
chaussure	puissant	classique	chaussée
noisette	apprendre	puissance	tristesse
cigarette	nouvelle	dentelle	princesse

Qu'ont en commun tous les mots de cette liste?
Que signifie le titre de ce chapitre?
Pourquoi certaines consonnes doublées du titre sont-elles soulignées?

115

2. Je regroupe et je termine.

En donnant comme titre à cette leçon **les consonnes doubles,** reproduisez dans votre cahier, selon le modèle qui suit:

a) les mots de la liste;

b) d'autres exemples de mots formés à partir de ceux de cette même liste ou provenant des échelons 1 à 15 ou encore issus de votre connaissance de la langue.

Les consonnes doubles

bb	cc	dd	ff	gg	hh	jj	kk	ll	mm	nn	etc.
			étoffe					travailler		sonner	
			chauffeur					allée			

3. Je remarque.

Avez-vous remarqué que quelques colonnes sont vides (ou à peu près)? Lesquelles? Pourquoi?

Quelles colonnes contiennent le plus grand nombre d'exemples?
Quelle conclusion tirez-vous en ce qui a trait au réflexe orthographique que vous devez développer face à des mots qui contiennent ces consonnes?

Le fait de lire à voix haute les mots que vous venez d'écrire dans votre cahier vous aide-t-il à savoir si vous devez doubler ou non une consonne?

Quelles lettres (voyelles ou consonnes) trouvez-vous le plus souvent immédiatement devant et derrière la consonne double?

Si vous savez qu'un groupe consonnique (voir les exemples ci-après) est l'équivalent d'une consonne simple, pouvez-vous dire que la règle découverte à la question précédente est encore vraie?

Ex.: affreux, appliqué, remettre, attribut, offrande

4. Je découvre la règle.

Vous avez remarqué que:

a) les consonnes doubles sont, le plus souvent, placées entre deux voyelles;
ex.: a**ff**able

b) la deuxième consonne est parfois remplacée par un groupe consonnique;
ex.: ap**pr**ouver

Mais, pouvez-vous dire que toutes les consonnes placées entre deux voyelles se doublent?
Prouvez votre réponse à l'aide de quelques exemples.

5. Je termine la règle.

Les consonnes_____sont placées, très_____, entre deux_____comme dans les mots suivants:_____, _____, _____.

Il arrive parfois que la_____consonne soit _____par un_____ _____com-me dans les mots suivants: _____, _____, _____.

6. J'applique la règle.

Sans consulter votre dictionnaire et sans réfléchir sur ces mots, ajoutez, s'il y a lieu, après les avoir reproduits dans votre cahier, la consonne manquante.

ac_élération	ar_achage	of_usq_ué	tourbil_on_er
ad_ition	at_roup_ement	ar_ide	embal_age
ag_res_if	af_aibli	turbu_ent	brusquem_ent
ag_rav_er	ap_rentis_age	impuis_ant	

Desquels de ces mots étiez-vous vraiment certain quand vous les avez écrits?

Sur lesquels avez-vous hésité? Dites pourquoi. Pourriez-vous proposer un moyen pour ne plus douter de l'orthographe de ces mots?

Écrivez-le dans votre cahier après en avoir discuté avec votre professeur.

Préparez un exercice du même genre que le précédent sans consulter votre dictionnaire.

Lorsque vous aurez terminé la préparation de cet exercice, vous vérifierez, dans votre dictionnaire, l'orthographe des seuls mots sur lesquels vous hésitez. Ensuite, vous remettrez votre travail à un camarade qui en fera la correction.

Enfin, si votre travail comporte des erreurs après correction, vous essaierez de les expliquer à votre professeur et vous écrirez, dans votre cahier, le moyen trouvé pour éviter à l'avenir cette erreur.

Pourquoi faut-il écrire:

remettre comme mettre?
coiffure comme coiffé?
repousser comme pousser?
attribut comme attribuer?
apprentissage comme apprendre?

griffe comme griffer?
passager comme passage?
accélérateur comme accélérer?
missionnaire comme mission?
glissant comme glisser?

Trouvez des mots de la même famille que ceux-ci qui contiennent une consonne double:

sonner, note, continuer, tapis, bas, coureur, caisse, grave, prochain, méchant, modeste, sagement, farouche.

Faites de même avec des mots appartenant aux échelons 17 et 18. Vous soumettrez ensuite ces mots à un camarade qui tentera de former autant de mots de la même famille qu'il le peut mais comprenant toujours au moins une consonne double.

Créez quelques phrases (acceptables en français) en essayant d'introduire dans chacune le plus grand nombre de mots figurant dans la liste donnée à la première étape.

118

Ex.: Comment le mousse, cet illustre personnage, peut-il mettre de la boisson dans la chaussure de la princesse?

7. Je me rappelle.

Les consonnes doubles sont, le plus souvent, placées entre deux voyelles.
Ex.: affable, **app**eler, **abb**é, etc.

La deuxième consonne est parfois remplacée par un groupe consonnique.
Ex.: app**r**obation, af**f**ranchir, at**t**ristée

Remarque:
Toutes les consonnes placées entre deux voyelles ne se doublent pas obligatoirement.
Ex.: étage, **r**igole, **g**lace, etc.

8. J'écris sans erreurs.

Votre professeur vous présentera un petit test portant sur ce qui a été étudié au cours de cette leçon.
Qui saura y répondre avec le moins d'erreurs?

9. Saviez-vous que...

a) les mots commençant par **ab** ne doublent pas le **b** sauf dans abbé et les mots de la même famille (abbesse, abbaye et quelques autres peu employés);

il|usion

b) les mots commençant par **ad** ne doublent pas le **d** sauf dans addition (et les mots de la même famille);

c) les mots commençant par **af** doublent le **f** sauf dans afin;

d) les mots commençant par **ag** ne doublent pas le **g** sauf dans aggraver, agglomérer, agglutiner (et les mots de la même famille);

e) les mots commençant par **am** ne doublent pas le **m** sauf dans ammoniaque;

f) les mots commençant par **ef** doublent toujours le **f**;

g) les mots commençant par **im** doublent le **m** sauf dans image et imiter (et les mots appartenant à leur famille);

h) les mots commençant par **of** doublent toujours le **f**;

i) les mots commençant par **suc** doublent toujours le **c** sauf dans sucre;

j) les mots commençant par **suf** doublent toujours le **f**;

k) les mots commençant par **sup** ne doublent pas le **p** sauf dans les verbes et les mots de leur famille.

10. En terminant

Pourriez-vous donner, pour chacune des règles qui précèdent, quelques exemples qui prouveraient ces lois?
Vous les reproduirez ensuite dans votre cahier.
Vous pourriez enfin préparer quelques jeux avec ces lois.

Chapitre 16

Sur l'eau, la nuit

Un soir, après une visite à un ami, l'auteur de cette aventure se rend chez lui, en barque.

Le temps est doux et le fleuve, calme. Essoufflé, il jette l'ancre pour reprendre haleine. Mais une peur inexplicable s'empare de lui, comme s'il rôdait une présence humaine invisible. Il veut repartir mais il est dans l'impossibilité de le faire: l'ancre a accroché quelque chose au fond de l'eau et tous ses efforts pour la dégager demeurent vains.

Soudain, un petit coup sonne contre son bordage. Il sursaute et une sueur froide le glace des pieds à la tête. Ce bruit provient sans doute, croit-il, de quelque bout de bois entraîné par le courant. Tout à coup, l'homme se sent envahi de nouveau par une agitation nerveuse.

Au même moment, la rivière prend une allure lugubre; elle devient un immense brouillard blanc très épais. L'homme ne voit plus ni le fleuve, ni ses pieds, ni son bateau. Il n'aperçoit que les pointes de roseaux qui bordent la berge. Il est comme enseveli jusqu'à la ceinture dans une nappe de coton et il lui vient des imaginations fantastiques. Il croit qu'on essaie de monter dans sa barque qu'il ne peut plus distinguer. Il ressent un malaise horrible; il a les tempes serrées, son coeur bat à l'étouffer.

Il n'y voit rien, il n'y comprend rien. Tout n'est que mystère. Cependant, par un effort violent, il finit par se ressaisir. Il prend sa bouteille de rhum et boit à grands traits. Alors, une idée lui vient et il se met à crier de toutes ses forces. Cependant, aucune réponse ne fait écho à son appel. Exténué, il s'étend de tout son long au fond du bateau et s'endort.

À son réveil...

D'après Guy de Maupassant

Expression

Terminez ce récit en lui donnant une fin en accord avec ce qui précède.

Voici quelques éléments sur lesquels vous pourriez réfléchir avant de commencer votre travail de rédaction.

Quelle semble être l'intention de l'auteur en écrivant ce texte?
Pourriez-vous relever quelques indices qui contribueraient à prouver votre réponse?

De quelle façon se terminera alors votre texte?

Où trouve-t-on habituellement un texte de ce genre?

Dans quel genre de publication pourriez-vous dès lors le faire paraître?

À qui s'adresse-t-il?

À quel temps est-il écrit?
Relevez une dizaine d'exemples qui le prouvent.

Vous semblerait-il normal d'achever ce texte en continuant à utiliser le présent?

Grâce à ces indications, faites un premier essai. Lorsque vous serez satisfait de votre travail, vous le soumettrez à votre professeur.
Celui-ci pourra vous apporter une aide précieuse puisque non seulement il vous aidera à corriger les quelques erreurs orthographiques restantes mais il vous fera découvrir d'autres moyens pour améliorer vos constructions de phrases et préciser votre vocabulaire. Avec l'aide reçue, rédigez votre version finale.

Enfin, vous en ferez lecture et l'on procédera au choix des trois (3) meilleurs textes qui seront reproduits au propre et publiés dans le journal de l'école.

Conjugaison

1. Observation

Relisez le texte en ayant soin d'y ajouter la partie que vous avez rédigée.
Relevez tous les verbes conjugués à la troisième personne du singulier de l'indicatif présent.

124

2. Classement

Ces verbes se terminent-ils tous de la même façon? Pourriez-vous les classer en trois groupes selon leur finale?

3. À la découverte de la loi

Grâce aux observations que vous venez de faire, pourriez-vous compléter, dans votre cahier, les phrases suivantes? Vous y découvrirez ainsi les trois lois orthographiques qui concernent la finale des verbes à la 3ᵉ personne du singulier de l'indicatif présent.

a) À la 3ᵉ personne du singulier de l'indicatif présent, les verbes du **1ᵉʳ groupe** (c'est-à-dire les verbes en **er**) se terminent par **e**.

Ex.: Il mang**e**, il chant**e**, il danse, il jou**e**, etc.

b) À la 3ᵉ personne du_____de l'_____, les verbes du **2ᵉ groupe** (c'est-à-dire les verbes en_____ faisant leur participe présent en_____) se terminent par_____.

Ex.: Il finit, il rugit, il punit, etc.

c) À la 3ᵉ personne du_____de l'_____, les verbes du 3ᵉ groupe (tous ceux qui n'appartiennent ni au 1ᵉʳ, ni au 2ᵉ groupe) se terminent soit par_____, soit par_____.

Ex.: Il pren**d**, il ren**d**, il fen**d**, elle cou**d**, il mor**d**, etc.
Il reçoit, elle croit, elle déçoit, elle aperçoit, etc.

Attention
Quelques verbes comme peindre, repeindre, feindre, etc., se terminent par **t** et non par **d** comme il serait normal que ce soit. Il faut donc être prudent avec ce genre de verbe et ne pas hésiter à consulter ses tableaux de conjugaisons.

4. Application

D'abord, sans utiliser le tableau qui précède, accordez les verbes dans l'exercice qui suit. Ils sont tous à l'indicatif présent.
Ensuite, révisez votre travail et soulignez les verbes dont vous n'êtes pas certain de l'orthographe.

Enfin, consultez vos tableaux de conjugaisons (ou votre professeur) et procédez, s'il y a lieu, à la correction finale.

a) Mon père (prendre) la main de cet enfant pour l'aider à traverser la rue.

b) Elle (finir) le travail entrepris hier.

c) Leur jeune frère (mordre) comme un vilain petit chien.

d) Cette brise légère nous (rafraîchir) après cette journée torride.

e) Il (avertir) toujours avant de quitter son domicile.

f) Pierre (rire) du drôle de tour qu'il vient de jouer à sa soeur.

g) Pendant que mon frère, Denis, (fendre) du bois à l'arrière de la maison, Danielle (coudre).

h) Au moment où Claude (arriver), ma soeur (partir) pour Montréal.

i) Un vieil ami de la famille (peindre) l'extérieur de sa maison.

j) Ma mère (recevoir) des amis à souper, demain soir.

k) Mon père (construire) un cabanon avec l'aide de Gilles.

l) Luc (feindre) de s'être blessé au genou.

m) Ce café (provenir) du Brésil.

n) Le jeune homme (se sentir) soudain envahi par la peur.

o) Luc, l'ami de ma soeur, (craindre) de perdre son emploi.

p) On (croire) que cet homme aurait pu être sauvé du sinistre.

q) Une jeune fille, Lucie Parent, (venir) de se présenter au bureau de monsieur Daigneault.

r) La jeune dame (devenir) soudain soucieuse en apprenant que son fils n'est pas encore entré.

s) On (essayer) présentement de réparer cette conduite d'eau.

t) L'enfant (dormir) paisiblement dans son berceau.

L'infinitif (le nom du verbe comme aim**er**, finir, prend**re**) des verbes des **2ᵉ** et **3ᵉ groupes** nous donne souvent un indice de la façon dont se terminent ces verbes à la **3ᵉ** personne du singulier de l'indicatif présent.

Ex.: prend**re**	→	prend	aplatir	→	aplatit
pon**dre**	→	pond	(se) vêtir	→	(se) vêt
fon**dre**	→	fond	pâtir	→	pâtit

Faites deux colonnes dans votre cahier. La première contiendra une liste de verbes (pouvant provenir des échelons) des 2ᵉ et 3ᵉ groupes où la finale de l'infinitif aide à les écrire correctement à la 3ᵉ personne du singulier de l'indicatif présent.
La deuxième colonne contiendra également une liste de verbes des mêmes groupes mais où l'infinitif ne nous fournit pas d'indice pour les écrire sans erreurs.

5. Résumé (1ʳᵉ partie)

À la 3ᵉ personne **du singulier de l'indicatif présent,** les verbes des **3 groupes** se terminent comme suit:

1ᵉʳ groupe (er)	2ᵉ groupe (ir → issant)	3ᵉ groupe (tous les autres)
e	t	t ou d

6. Du singulier au pluriel

A. Que se produirait-il si, au lieu d'avoir été rédigé par une seule personne, le texte l'avait été par deux? Récrivez-le en soulignant les changements que vous observez.

B. Précédemment, vous avez classé les verbes de ce texte en trois groupes selon leur finale à la 3e personne du singulier. Complétez vos trois listes à l'aide des nouvelles finales de verbes que vous venez de découvrir en passant du singulier au pluriel.

C. Pourriez-vous maintenant préparer un tableau semblable à celui que vous trouvez sous le titre: **À la découverte de la règle** où vous indiquerez ce que vous venez de découvrir quand un verbe passe de la 3e personne du singulier de l'indicatif présent à la 3e personne du pluriel?

D. Vous pouvez désormais transformer les phrases données à l'étape: Application en les faisant passer du singulier au pluriel.

7. Résumé (2e partie)

À la 3e personne **du pluriel de l'indicatif présent**, les verbes des 3 groupes se terminent comme suit:

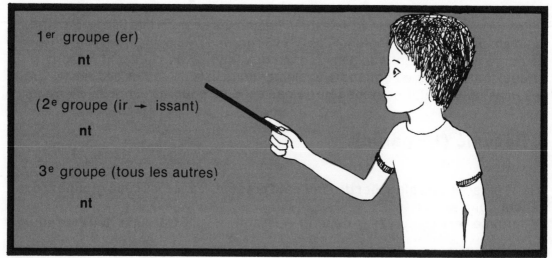

1er groupe (er)

nt

(2e groupe (ir → issant)

nt

3e groupe (tous les autres)

nt

Homophones

Doit-on écrire **ni** ou **n'y**?

1. Identification

Dans le quatrième paragraphe, on peut lire la phrase suivante:

"L'homme ne voit plus **ni** le fleuve, **ni** ses pieds, **ni** son bateau."
Et au paragraphe suivant, celle-ci:
"Il **n'y** voit rien, il **n'y** comprend rien."

2. Observation

Première série

En vous aidant des deux phrases exemples qui précèdent, employez l'un **ou** l'autre de ces deux mots: **ni** ou **n'y** dans les phrases suivantes:

a) _____ l'un _____ l'autre ne viendra à cette soirée.

b) Il _____ va pas à cette soirée.

c) Il _____ peut rien: tout a déjà été décidé.

d) _____ son père, _____ sa mère, _____ même son meilleur ami n'a assisté à cette cérémonie.

e) _____ aurait-il personne dans l'auditoire qui puisse prêter son concours pour effectuer ce tour de magie?

f) Je _____ vais pas! C'est décidé!

Deuxième série

Lesquelles de ces phrases vous semblent incorrectes? Dites pourquoi.

a) Ni Paul ne viendra.

b) Ni Paul ni Denise ne viendra.

c) Nous n'y allons pas car ma mère est malade.

d) Il n'y a rien d'étonnant à ce qu'il se soit classé premier lors de cet examen: il étudie constamment!

e) Ni moi n'irai à l'école.

f) N'y aurait-il pas quelqu'un qui pourrait m'aider à déplacer cette table?

3. À la découverte de la loi

Avez-vous remarqué que le mot **ni** ne peut s'employer seul? C'est donc dire que la première et la cinquième phrases sont incorrectes.
La règle est donc assez simple à découvrir.

Le mot ni s'écrit **ni** si, dans la phrase où je l'emploie, je dois le répéter (pour que la phrase ait du sens).
Ex.: Ni Paul, ni Pierre n'est venu ce soir. Je ne pourrais dire: Ni Paul, Pierre n'est venu ce soir.

Dans tous les autres cas, il faut écrire **n'y**, sauf bien sûr, s'il est question d'un **nid** d'oiseau ou du verbe nier.
De plus, quand j'emploie le mot **n'y**, je peux toujours placer **il** devant.
Ex.: Je n'y vois rien.
   (Il) n'y voit rien.

4. Application

En équipes de deux, rédigez six phrases dont la moitié contiendra le mot **ni** et l'autre partie, le mot **n'y**.

Terminez, sans l'aide du tableau qui précède, l'exercice que vous proposera votre professeur et où vous aurez à écrire, selon le cas, **ni** ou **n'y**.

5. Résumé

Sans l'aide du tableau donné à la troisième étape, écrivez dans votre cahier la façon de vous rappeler quand il faut utiliser **ni** ou **n'y**.

Chapitre 17

Doit-on écrire m ou n?

1. Je lis et j'observe.

Observez, en lisant les mots de cette liste, la lettre (m ou n) placée immédiatement avant celle qui est en caractères gras.

Vous remarquerez que ces dernières (celles qui apparaissent en caractères gras) suivent l'ordre alphabétique jusqu'à la lettre v inclusivement. Il ne semble pas exister de mots formés selon ce procédé pour les quatre dernières lettres de l'alphabet: w, x, y, z.

inapte	inimitable	emporter
imbécile	injure	enquête
incrédule	enkyster	enregistré
endimanché	inimitable	ensacher
inexplicable	enlacé	entente
enfermer	emmitouflé	inusable
engranger	enivrant	envahir
inhaler	inodore	

2. Je regroupe.

Combien de fois avez-vous rencontré la lettre **m** placée immédiatement avant celles qui se trouvent en caractères gras?
Quelles lettres suivent immédiatement la lettre **m**?

3. Je vérifie.

Vous venez de remarquer que devant **m, b** et **p,** la lettre **n** est remplacée par **m.**
Serait-il prudent d'énoncer dès maintenant une règle à partir de l'observation que vous venez de faire?
Que faut-il faire alors?
À l'aide de votre dictionnaire, vérifiez s'il faut placer **m** ou **n** à l'endroit indiqué dans les mots suivants:

a_bulance, e_trée, e_dive, e_paqueter, e_durci, i_mensité, i_dique, co_pagnon, acco_pagné, i_odore, i_prudent, e_bouteillage, e_diablé, i_pardonnable, i_juste, e_cager, e_mener, e_gourdir, dése_paré, somna_bule, bo_be, po_pe, to_be, e_magasiné, i_périeux, i_quiet,
[bo_bonne, néa_moins, bo_bon, bo_bonnière].

4. Je découvre la règle.

Grâce à la vérification que vous venez de faire, pourriez-vous maintenant compléter cette règle?

Devant ___, ___, p, la lettre **n** est remplacée par ___.
Il n'existe que quelques mots (assez fréquents d'ailleurs) qui ne respectent pas cette règle: bonbonne, néanmoins, bonbon, bonbonnière.

Il suffit donc d'apprendre ces quatre mots et le tour est joué.

Savez-vous maintenant pourquoi nous avons placé les cinq derniers mots de la liste donnée à l'étape 3 dans un sous-ensemble?

5. J'applique la règle.

Tous les mots qui suivent sont écrits correctement.
Pourriez-vous dire pourquoi, selon le cas, il a fallu placer **m** ou **n**?

incrédule, entreposage, embarcation, embardée, emballer, emballage, embarras, embaumer, embellir, empereur, enrayer, indomptable, emplette, emploi, employé, empocher, emporter, empiler, emmagasiner, emmailloter, emmancher, emmurer, emmener, emménager, encan, encercler, enchaîner, encyclopédie, encombrer, endetter, endurer.

Posez, à l'endroit approprié, un **m** ou un **n** après avoir reproduit ce texte dans votre cahier.

L'autre jour, un e_seignant dése_paré, chaudement e_mitouflé, déa_bulait le_te-ment dans la rue avec un co_pagnon de travail qui faisait de l'e_bonpoint. Soudain, à l'approche d'une im_ense e_seigne lumineuse, les deux co_pères e_tre-voient un objet i_solite: il se_ble que ce soit une bo_bonne d'oxygène qui soit sus-pendue à l'e_seigne.

Dése_paré, l'un d'eux s'e_ferme dans une cabine téléphonique pe_dant que l'autre, plus i_prudent, s'e_pare d'un morceau de bois et, d'un geste i_contrôlé, frappe l'ob-jet à plusieurs reprises. On assiste alors à un e_bouteillage monstre: le somna_bule a brisé la bo_bonnière accrochée à l'e_seigne! Quel geste i_pardonnable!

Créez quelques phrases où vous tenterez d'introduire le plus grand nombre de mots possible pouvant contenir les lettres **m** ou **n**.
Vous soumettrez ensuite vos phrases à un camarade qui tentera, sans recourir à son dictionnaire, de les compléter.

À l'aide de l'un de vos textes récents, vérifiez l'orthographe des mots et voyez si vous avez employé correctement les lettres **m** et **n** dans les cas où elles sont précé-dées de m, b et p.

6. Je me rappelle.

Devant **m, b, p,** la lettre **n** est remplacée par **m**.
Ex.: Commode, tombe, pompe
Seuls les **quatre** mots suivants s'entêtent à ne pas vouloir suivre la règle: bonbonne, néanmoins, bonbon, bonbonnière.

7. Un combat d'épellation

On divise la classe en deux équipes.

Votre professeur interrogera chacune d'elles à tour de rôle.
Chaque bonne réponse vaudra 1 point.

Les questions pourront non seulement porter sur l'épellation de mots mais également sur la connaissance de la règle étudiée.
Bonne chance aux deux **équipes**!

Chapitre 18

Connaissez-vous monsieur de La Palice?

Lisez ce texte en accordant une attention particulière:
a) aux crochets qui relient les vers deux à deux;
b) aux traits verticaux qui groupent les deux derniers vers de chaque quatrain.

Les vérités de monsieur de La Palice

Messieurs, vous plaît-il d'ouïr
L'air du fameux La Palice?
Il pourra vous réjouir,
Pourvu qu'il vous divertisse.

Bien instruit dès le berceau,
Ce chevalier, tant honnête,
N'ôtait jamais son chapeau
Sans se découvrir la tête.

Ses valets étaient soigneux
De le servir d'andouillettes,
Et n'oubliaient pas les oeufs,
Surtout dans les omelettes.

Il brillait comme un soleil;
Sa chevelure était blonde;
Il n'eût pas eu son pareil
S'il n'eût été seul au monde.

Il se plaisait en bateau
Et, soit en paix, soit en guerre,
Lorsqu'il voyageait par eau,
Ce n'était jamais sur terre.

135

Dans un superbe tournoi,
Prêt à fournir sa carrière,
Il parut devant le roi
Et ne se tint pas derrière.

Monté sur un cheval noir,
Les dames le reconnurent,
Et c'est là qu'il se fit voir
À tous ceux qui l'aperçurent.

C'était un homme de coeur,
Insatiable de gloire,
Lorsqu'il était le vainqueur,
Il remportait la victoire.

Il fut, par un triste sort,
Blessé d'une main cruelle;
On croit, puisqu'il en est mort,
Que la plaie était mortelle.

Regretté de ses soldats,
Il mourut digne d'envie,
Et le jour de son trépas
Fut le dernier de sa vie.

Il mourut un vendredi,
Le dernier jour de son âge
S'il fût mort le samedi,
Il eût vécu davantage.

Choix de poésies pour enfants de 8 à 12 ans,
éd. A. Bonne.

Compréhension du message

1. Qui était monsieur de La Palice? Reportez-vous à votre dictionnaire pour répondre à cette question.

136

2. Le fait de savoir qui était monsieur de La Palice vous aide-t-il à comprendre davantage le sens de ce texte et surtout les groupes de deux vers réunis par un trait vertical?

3. Quelle est, par les réponses que vous venez de donner, l'intention manifestée par celui qui a écrit ce texte?

4. Pourriez-vous dire alors ce que signifie l'expression: "c'est une vérité de La Palice"? Qu'est-ce qu'une "lapalissade"?

5. En vous appuyant sur le texte, quel qualificatif pourriez-vous employer pour caractériser monsieur de La Palice? Monsieur de La Palice était-il aussi... que l'histoire nous l'a laissé croire?

6. Quel est le sens des mots ou des expressions suivantes:

a) ouïr? N'y aurait-il pas un mot qui vous aiderait à en connaître le sens sans que vous soyez obligé d'utiliser votre dictionnaire?

b) l'air du fameux La Palice?

c) dès le berceau?

d) andouillettes? Le contexte vous aide-t-il à connaître de façon précise le sens de ce mot? Que faire alors?

e) fournir sa carrière?

f) insatiable de gloire?

g) trépas? Le contexte peut-il vous aider à en connaître le sens?

h) le dernier jour de son âge?

7. À quoi servent les crochets qui relient les vers deux à deux?

8. Pourriez-vous dire ce qu'est une rime?

9. Avez-vous remarqué que chacun des vers commence par une lettre...?

1. Lecture
Votre professeur vous lira une ou deux fois ce texte, avec les intonations qui conviennent. Ensuite, il vous le remettra sous forme polycopiée. Vous devrez alors, après l'avoir relu, y indiquer les signes suivants:

// pour marquer une pause longue
/ pour marquer une pause plus courte
— pour indiquer qu'il faut marquer plus fortement cette finale.
(**Ex.:** ... plaît-il d'ou**ï**r
       ... vous réjou**ir**)

Enfin, quelques élèves le liront à voix haute et on appréciera lequel l'a le mieux rendu.
N.B. Il serait intéressant, si l'on peut disposer d'un magnétophone, d'enregistrer les lectures faites; il serait alors plus facile d'évaluer les lecteurs.

2. Écriture
Pourriez-vous changer la place des mots ou des groupes de mots dans quelques quatrains de votre choix tout en conservant à ceux-ci la même signification? Vous veillerez cependant à maintenir les rimes.

Ex.: L'air du fameux La Palice
     Messieurs, vous plaît-il de l'ouïr?
     Pourvu qu'il vous divertisse.
     Il pourra vous réjouir.

Vous avez sans doute remarqué que le dernier vers de chaque quatrain constitue une évidence qu'il n'est pas nécessaire de dire pour être compris sauf, peut-être, par de jeunes enfants.
Ex.: Si on enlève son chapeau, on a évidemment la tête découverte. Si on prépare une omelette, on y trouvera évidemment des oeufs.
Pourriez-vous ajouter un deuxième vers à chacun de ceux-ci, qui constituerait une évidence, comme dans le texte.

- Si Jean n'est pas grand
-

- Si Pierre travaille beaucoup
-

- Si les poules avaient des dents

-

- Si j'avais au moins un million de dollars

-

- Le jour où il est décédé

-

Créez cinq couples de phrases comme dans l'exercice précédent à l'aide des mots qui suivent:
brave / peureux
intelligent / faible d'esprit
digne / indigne
vainqueur / vaincu
premier / dernier

Selon vous, dans quel genre de texte convient-il d'employer ce procédé d'écriture? Quelle est alors votre intention quand vous décidez de l'utiliser?

Sur un sujet de votre choix et en utilisant ce procédé, rédigez trois ou quatre quatrains que vous ferez ensuite lire à vos camarades. Ils feront de même à votre égard. Qui saura être le plus drôle?

Conjugaison

1. Observation

Lisez les phrases de chacune de ces trois séries.

Première série   Les enfants crient de joie.
Ils _____ de joie.

Gilles et Martine n'oubliaient rien.
Ils _____ rien.

Marie et Danielle triompheront.
Elles _____ .

Les frères de notre voisin viendraient ce soir.
Ils _____ ce soir.

Ma soeur et son amie regrettèrent leur geste.
Elles _____ leur geste.

Deuxième série

Mes amis divertissent les gens âgés.
Ils _____ les gens âgés.

Jules et son frère finissaient ce soir.
Ils _____ ce soir.

Marie-Claude et Jeanne fourniront de l'argent.
Elles _____ de l'argent.

Les amis de mon frère bâtiraient bientôt.
Ils _____ bientôt.

M. X. et mme Y. garantirent leurs produits.
Ils _____ leurs produits.

Troisième série

Ces élèves font leur travail.
Ils _____ leur travail.

Martine et Andrée prenaient un risque.
Elles _____ un risque.

Luc et André pourront venir.
Ils _____ venir.

Les amies de ma soeur auraient des difficultés.
Elles _____ des difficultés.

Notre voisin et sa femme furent blessés.
Ils _____ blessés.

2. Réflexion

A) À quel groupe appartiennent les verbes:

a) de la première série?

b) de la deuxième série?

c) de la troisième série?

B) À quel temps sont les verbes:

a) de la première série?

b) de la deuxième série?

c) de la troisième série?

C) À quelle personne sont conjugués tous ces verbes? Prouvez-le?

D) De quelles façons se terminent les verbes:

a) de la première série?

b) de la deuxième série?

c) de la troisième série?

3. À la découverte de la règle

A) Essayons de formuler une règle à partir des exemples de la première série et des réponses données à l'étape précédente.
Nous pourrions dire:

Les verbes du **1ᵉʳ groupe** (conjugués à l'indicatif présent, à l'imparfait, au futur simple, au conditionnel présent et au passé simple) qui suivent des groupes-sujets pluriels se terminent par **nt** ou **ent**.

Vous obtiendrez donc:
Les verbes à temps simples du 1ᵉʳ groupe qui suivent des groupes-sujets pluriels se terminent par **nt** ou **ent**.

B) Essayez de formuler une règle au sujet de la finale des verbes de la deuxième série sur le même modèle que la dernière que nous venons de découvrir. Quelle est la seule différence entre les deux formulations?

C) Faites de même pour la troisième série.

D) Formulez enfin (et vous en êtes capable) une seule règle regroupant les trois que vous venez d'énoncer.

4. Application

Accordez les verbes dans les phrases suivantes.

Mes frères et leurs amis (se rendre; indicatif présent)
(aller; indicatif, imparfait)
(revenir; indicatif, f. simple) **à l'école.**
(être; conditionnel, présent)
(travailler; indicatif, p. simple)

Mon amie et son institutrice (crier; indicatif, p. simple)
(acheter; conditionnel, présent)
(finir; indicatif, f. simple) **ensemble.**
(courir; indicatif, imparfait)
(être; indicatif, présent)

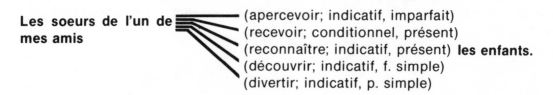

Les soeurs de l'un de mes amis (apercevoir; indicatif, imparfait)
(recevoir; conditionnel, présent)
(reconnaître; indicatif, présent) **les enfants.**
(découvrir; indicatif, f. simple)
(divertir; indicatif, p. simple)

142

Les deux jeunes visi-teurs
- (ôter; indicatif, f. simple)
- (remettre; conditionnel, présent)
- (enlever; indicatif, imparfait) **leur chapeau.**
- (avoir; indicatif, présent)
- (se départir de; indicatif, p. simple)

Pierre et son coéqui-pier
- (toucher; indicatif, p. simple)
- (se tenir derrière; indicatif, présent)
- (s'approcher de: indicatif, imparfait) **le but.**
- (voir; conditionnel, présent)
- (viser; indicatif, f. simple)

Remplacez le groupe-sujet de chacune des phrases de l'exercice précédent par un pronom de conjugaison équivalent.
Que remarquez-vous?

Changez les groupes-sujets du premier exercice de l'étape "Application" par d'autres groupes-sujets équivalents. Que remarquez-vous au sujet de l'accord des verbes qui les suivent?
Et si vous remplaciez ces nouveaux groupes par les pronoms **ils** ou **elles,** que se produirait-il?

Grâce aux exercices qui précèdent, pouvez-vous dire que la loi que vous avez découverte à l'étape intitulée: "À la découverte de la règle" est toujours vraie?

Observez ce qui se passe dans le tableau qui suit en le complétant dans votre cahier de travail.

	1er groupe	2e groupe	3e groupe
imparfait	Je mange**ais** Tu mange**ais** Il mange**ait** Ils mange**aient**	Je finiss**ais** Tu ——— Il ——— Ils ———	Je perd**ais** Tu ——— Il ——— Ils ———
cond. présent	Je mange**rais** Tu mange**rais** Il mange**rait** Ils mange**raient**	Je fini**rais** Tu ——— Il ——— Ils ———	Je perd**rais** Tu ——— Il ——— Ils ———

Observons ce tableau.
Nous pouvons dire que:

À la première et à la deuxième personne du singulier de l'imparfait de l'indicatif et du présent du conditionnel, les verbes des trois groupes se terminent par **ais**.

En observant toujours le tableau, formulez une règle, sur le modèle de celle qui précède, pour les verbes à la 3e personne du singulier.
Enfin, faites de même avec les verbes conjugués à la 3e personne du pluriel.

Rédigez quelques phrases sur le modèle de celle qui suit, c'est-à-dire employez dans la même construction l'imparfait et le conditionnel présent, aux personnes proposées dans le tableau.
Ex.: Si j'av**ais** (indicatif imparfait) de l'argent, je m'achèter**ais** (conditionnel présent) une bicyclette de course.

Vour remettrez vos phrases à votre voisin qui en assurera la correction à l'aide du tableau.

Transformez ce poème en le mettant d'abord à l'imparfait de l'indicatif et ensuite au conditionnel présent.
Vous procéderez ensuite à la correction de vos deux textes à l'aide du tableau de conjugaisons. Vous comparerez ensuite vos réponses à celles qui sont fournies par le professeur.

Madame la Lune
Madame la Lune est très curieuse,
Montrant son nez blanc dès que vient le soir,
Et reste là-haut, bien silencieuse,
Écarquillant l'oeil afin de tout voir.

Pour tout voir aussi, ses nièces, ses filles,
Et leurs mille enfants - les étoiles - font
Des trous dans le ciel avec des aiguilles
Afin d'y coller leur petit oeil rond.

Quand il est bien tard, madame la Lune
Descend tout du long des rayons follets,
Et pour voir chez nous, soudain l'importune
Vient montrer son oeil au trou des volets.

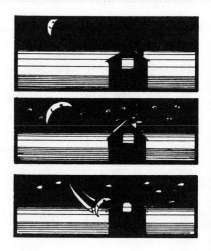

Elle ne remonte au sein des nuages
Que quand les enfants dorment en tous lieux;
Et si quelques-uns n'ont pas été sages,
La lune s'en va le redire aux cieux.

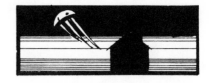

Léon Xanrof

5. Résumé

1) Les verbes à temps simples (indicatif présent, imparfait, futur simple, passé simple et conditionnel présent) qui suivent les groupes-sujets pluriels se terminent par **nt** ou **ent**.

On peut alors remplacer ces groupes-sujets pluriels par **ils** ou **elles**.
Ex.: Les amies de ma mère viendro**nt** ce soir.
Elles viendro**nt** ce soir.

2) Les finales des verbes conjugués à l'imparfait et au conditionnel présent sont identiques.

1re et 2e personnes du sing.	→	**ais** (je mangeais / je mangerais)
3e personne du singulier	→	**ait** (il finissait / il finirait)
3e personne du pluriel	→	**aient** (ils perdaient / ils perdraient)

Chapitre 19

Le texte d'informations

1. Contexte

L'année dernière, un professeur de 5e année de la région de Granby a demandé à ses élèves de produire un texte sur un sujet de leur choix. L'un d'eux, Gilles, a choisi, comme projet de recherche, l'éléphant.

Le texte devait être écrit dans une langue assez simple puisqu'il s'adressait à des élèves de 3e année pour lesquels on voulait constituer un "coin de lecture".

2. Avant de commencer

Voici la fiche que le professeur a remise à Gilles pour l'aider à préparer son travail.

Guide de préparation
Quel est ton but en écrivant ce texte? Est-ce que tu veux faire rire? faire pleurer? convaincre? divertir? informer? etc.?

À qui s'adresse le texte que tu rédiges? S'agit-il d'élèves de ton âge? de spécialistes? d'enfants plus jeunes? etc.?
Est-ce que les lecteurs pour lesquels tu écris sont clairement identifiés?

Que savent tes lecteurs du sujet que tu as choisi? Est-ce que les renseignements que tu veux leur fournir sont déjà connus par eux ou encore sont-ils trop faciles ou trop difficiles?

Comment dois-tu présenter ton texte pour qu'il soit facilement compris par tes lecteurs?

Dois-tu faire des phrases longues ou courtes? Dois-tu employer des mots difficiles sans donner d'explications?

Comment enfin le présenter matériellement pour que tes lecteurs aient envie de le lire?
a) Dois-tu écrire en script ou en cursif?
b) Dois-tu laisser suffisamment d'espace entre chaque ligne?
c) Les paragraphes doivent-ils être courts?
d) Le texte doit-il être long?
e) Doit-il contenir des illustrations?
f) Est-ce que tu dois faire une page couverture?
g) Quel titre lui donner?

3. Informations retenues

Après avoir répondu aux questions précédentes, Gilles s'est documenté sur le sujet choisi. Il a finalement décidé de retenir les informations qui suivent pour rédiger son texte.

L'éléphant
1) **Genre:** le plus gros mammifère quadrupède actuel.

2) **Sortes:** celui d'Afrique (à grandes oreilles)
celui d'Asie (à oreilles plus petites; taille moins grosse).

3) **Caractéristiques:** corps massif, trompe (nez allongé), oreilles plates, défenses, peau rugueuse, beaucoup de mémoire (rancunier), grande force.

4) **Hauteur:** 2 à 3,75 m.

5) **Poids des défenses:** 100 kg - production importante d'ivoire.

6) **Âge:** jusqu'à 150 ans.

7) **Gestation:** 22 mois.

8) **Alimentation:** herbivore.

9) **Mode de vie:** en troupe.

10) **Cri caractéristique:** barrissement.

11) **Domestication:** facile avec celui d'Asie.

148

12) **Utilité:** transport, travaux publics, guerre, cirque.

13) **Noms:** femelle (éléphante); petit (éléphanteau); celui qui conduit les éléphants (cornac).

14) **Expressions:** Avoir une mémoire d'éléphant.
Faire d'une mouche un éléphant.
C'est un éléphant.
Il est comme un éléphant dans un magasin de porcelaine.

4. Première rédaction

En utilisant les informations découvertes par Gilles, essayons de rédiger un texte qui pourrait ressembler au sien.

A. Introduction
Comment vais-je m'y prendre pour capter l'intérêt de mes lecteurs (des élèves de 3e année) dès le départ?

Laquelle de ces phrases vous semble la meilleure pour intéresser vos lecteurs dès le début, tout en sachant qu'elle est facilement compréhensible?

a) L'éléphant est le plus gros mammifère quadrupède actuel.

b) Le plus gros mammifère quadrupède actuel est l'éléphant.

c) Actuellement, le plus gros mammifère quadrupède est l'éléphant.

d) Actuellement, l'éléphant est le plus gros mammifère quadrupède.

e) Savez-vous quel est le plus gros animal à quatre pattes qui nourrisse ses bébés avec du lait?

Croyez-vous qu'un enfant de 3e année comprenne la signification des mots **mammifère** et **quadrupède**? Est-il alors souhaitable de commencer votre texte par l'une des quatre premières phrases?

Quels moyens ont été utilisés dans la cinquième phrase:
pour capter l'intérêt?
pour faciliter au lecteur la compréhension?

149

Qu'arrive-t-il souvent quand on ne connaît pas le mot juste ou que, le connaissant, on s'adresse à quelqu'un dont on sait qu'il l'ignore? Expliquez votre réponse à l'aide des cinq phrases qui précèdent.

Laquelle de ces phrases vous semble être la meilleure, compte tenu de l'intérêt que vous voulez susciter chez votre lecteur et de la facilité de compréhension?

Pourriez-vous en créer une autre qui vous semblerait meilleure et plus courte pour capter l'intérêt et qui soit de compréhension plus facile?

Enfin, quelle serait la phrase que vous retiendriez pour commencer votre texte?

B. Développement
Faites une phrase ou un court paragraphe avec chacune des informations (sauf la première) figurant sur la fiche. Vous aurez soin de respecter l'intérêt du lecteur dans votre formulation et la facilité de compréhension. Vous veillerez enfin à faire des phrases assez courtes.

Faisons quelques essais de formulation.

a) Sortes
En vous aidant du modèle qui suit, remplacez les traits par des mots plus précis.

Il y a deux sortes d'éléphants: celui d'Afrique et celui d'Asie. Le premier a de longues oreilles. L'autre, dont la taille est moins grosse, est pourvu d'oreilles plus petites.

Il _____ deux sortes d'éléphants: l'un _____ l'Afrique et l'autre, l'_____. L'éléphant d'_____ _____ de longues oreilles. L'_____ d'_____, de _____ moins _____ , _____ les oreilles moins _____.

On _____ deux sortes d'éléphants: l'éléphant d'Afrique à _____ oreilles et l'éléphant d'_____, à _____ plus petite, _____ oreilles _____ longues.

b) Caractéristiques
Voici les principales caractéristiques de cet animal:

corps massif, trompe (nez allongé), oreilles plates, défenses, peau rugueuse, beaucoup de mémoire, grande force.
Pourriez-vous les regrouper en une seule phrase?
Est-il souhaitable de le faire en pensant aux lecteurs qui sont des élèves de 3e année?

Parmi ces huit caractéristiques, lesquelles pourraient se trouver naturellement dans une même phrase? Faites quelques essais et appréciez chacune des phrases ainsi produites. Vous choisirez celle qui vous semble la meilleure.

Combien de phrases comptera votre paragraphe portant sur les caractéristiques? Rédigez-le.

c) Hauteur
Faites une phrase indiquant la hauteur que peut atteindre cet animal.

d) Poids des défenses
Complétez la phrase suivante. Elle vous permettra d'y inclure deux informations.

Les défenses, qui .... , constituent la partie la plus importante de la production d'ivoire.

Transformez la phrase précédente en commençant comme suit:
La partie la plus importante...

Transformez la phrase précédente de façon à en créer deux. La deuxième, où vous parlerez du poids des défenses, devra commencer par **Celles-ci**.

Complétez l'idée suivante de façon à constituer deux phrases. La deuxième devra commencer par **Elles.**
Les défenses d'éléphant constituent...

Laquelle des phrases ainsi produites vous semble la meilleure compte tenu des personnes auxquelles s'adresse votre texte?

e) Âge
Si vous voulez créer un effet de surprise chez votre lecteur au sujet de la longévité de l'éléphant, comment vous y prendrez-vous?
Proposez quelques formules et choisissez celle qui vous semble la plus appropriée.

f) Gestation
Après avoir vérifié dans le dictionnaire la signification du mot **gestation**, rédigez une phrase comparant la durée de la période de gestation chez les êtres humains avec celle de l'éléphante.

g) Alimentation
En sachant que le mot latin **carnis** veut dire chair et que le mot **omni** signifie tout, faites une phrase qui contiendra les mots **carnivore**, **omnivore** et **herbivore** et qui

débutera ainsi:
Contrairement à l'homme...

Faites trois phrases. Chacune contiendra l'un des trois mots suivants: omnivore, carnivore, herbivore. Chacune d'elles devra constituer une phrase qui définit chacun de ces mots.
La dernière (celle que vous ferez avec le mot herbivore) devra être formulée sous forme interrogative et commencer par le mot **mais.**

h) Modes de vie
Faites une phrase exprimant l'idée que l'éléphant vit en troupe.

i) Cri caractéristique
Complétez les phrases suivantes.
Vous savez que le chien aboie, que le chat_____ , que le cheval_____ , que la vache_____ . Vous savez également que le lion_____ , que le tigre _____ , que la girafe_____ .
Mais saviez-vous que l'éléphant_____ ?

j) Domestication
En commençant votre phrase par "Il est facile...", parlez de la domestication de l'éléphant d'Asie.

k) Utilité
Faites une phrase où vous montrerez l'utilité de l'éléphant (et de la virgule pour séparer les éléments dans une énumération!).

l) Noms
Faites trois phrases avec ces couples d'informations:
femelle (éléphante);
petit (éléphanteau);
celui qui conduit un éléphant (cornac).

Pourriez-vous réunir en une même phrase ces trois couples d'informations?

Quelle formule préférez-vous?

m) Expressions
En commençant votre phrase par:"On entend souvent des expressions comme...",
complétez-la à l'aide de deux ou trois exemples qui sont présentés sur la fiche.

C. Conclusion
En terminant, rédigez une phrase pour inciter les lecteurs qui voudraient en savoir davantage sur ce sujet à consulter le livre où vous avez puisé vos renseignements. Votre professeur vous indiquera comment présenter cette source bibliographique.

5. Rédaction finale

Il ne vous reste qu'à reproduire votre texte au propre en ne conservant, pour chacun des éléments, que la meilleure formulation.
Vous aurez à placer à l'endroit approprié la (ou les) photographie(s) qui agrémenteront votre texte.

6. Évaluation

Donnez votre copie à votre voisin. Après l'avoir lue, celui-ci évaluera votre travail en indiquant, pour chacun des éléments, la note qui convient dans la colonne prévue. Votre professeur fera de même. Le résultat final sera constitué de la moyenne des deux notes.

	Note élève	Note prof.	Moyenne
Le but du texte est d'informer le lecteur sur un sujet précis.	/5	/5	/5
Ce texte est aisément compréhensible pour des élèves de 3e année.	/20	/20	/20

Le texte est clair et bien disposé: - le paragraphe (ou la phrase) d'introduction est clairement déterminé(e); - les paragraphes qui forment le développement traitent chacun d'un sujet précis; - le paragraphe de conclusion nous incite à lire sur le sujet.	/5	/5	/5
	/10	/10	/10
	/5	/5	/5
La présentation matérielle est intéressante: - l'écriture est bien lisible;	/5	/5	/5
- le texte est aéré;	/5	/5	/5
- l'(les) illustration(s) est (sont) appropriée(s);	/5	/5	/5
Les phrases sont bien construites.	/15	/15	/15
Le vocabulaire est simple mais juste.	/10	/10	/10
Les erreurs orthographiques sont peu nombreuses.	/10	/10	/10
	/100	/100	/100

7. Applications

Voici quelques suggestions pour vous permettre de prolonger cette activité.

A. Vous pourriez faire lire votre texte par des élèves de 3e année. Après une ou deux lectures, ils pourraient être invités à répondre à un questionnaire de compréhension portant sur le texte.
Le degré de réussite à cette épreuve vous permettra vraiment d'apprécier si vous avez su écrire pour de jeunes lecteurs.

B. Vous pourriez également préparer un fichier collectif portant sur les animaux. Il s'agirait en somme de coller sur l'une des faces d'un carton rigide la photographie de l'animal de votre choix et de rédiger, sur l'autre face, un texte ressemblant à celui que vous avez produit sur l'éléphant.

C. Il pourrait être également intéressant de préparer une émission radiophonique ou télévisée portant sur la vie des animaux. Vous discuterez avec votre professeur de la façon de préparer et de présenter cette émission.

Chapitre 20

Où il n'y a plus de différence entre le singulier et le pluriel

Voici quelques mots dont la plupart proviennent des échelons 1 à 18.

1. Je lis et j'observe.

os	vis	puits	matelas	ours	brebis
bois	bras	mois	relais	frimas	avis
gros	gras	fils	lilas	dos	souris
pas (n.)	gris	lis (lys)	tapis	colis	repos
fois	as	gras	bas	commis	indécis
repas	palais	mauvais	temps	printemps	tas
ananas	oasis	amas	héros	ramassis	Dupuis
las	laquais	laps	lapsus	niais	intrus

Qu'ont de commun ces mots?
Que signifie le titre de ce chapitre?

2. Je termine.

Pourriez-vous, à l'aide de livres, de journaux, de **revues** et même en utilisant quelques-uns de vos **travaux,** compléter cette liste?

3. Je regroupe.

a) Relevez, à partir des mots des étapes 1 et 2, ceux dont la prononciation et le genre nous indiquent la façon de les écrire correctement, sans hésitation.
EX.: un os (ici, le genre du mot exprimé oralement m'aide à écrire ce mot correctement puisque je prononce le **s** final.)
des os (ici, le nombre du mot exprimé oralement ne m'aide pas à écrire correctement ce mot puisque je ne prononce pas la lettre finale.)

b) Existe-t-il des cas où le genre et le nombre du mot exprimé oralement m'aident autant l'un que l'autre à orthographier sans erreurs? Donnez des exemples.

c) Y a-t-il des cas où, en mettant le mot au féminin, je découvre automatiquement la façon de l'écrire sans erreurs au masculin?
EX.: grosse ➝ gros

d) À quel mot de la même famille pouvez-vous penser pour écrire correctement ceux-ci: bois, bras, amas, tapis, dos, avis, repos, tas?
Ce procédé pourrait-il également être utilisé avec d'autres mots? Donnez des exemples.

e) Les mots suivants expriment une idée de temps: fois, mois, temps, printemps. Quel truc pouvez-vous proposer pour les écrire sans erreurs?

f) Que faire avec les autres mots de la liste (étapes 1 et 2)?

4. J'écris sans erreurs.

Employez correctement les mots de cette liste dans les phrases suivantes.

dos, mois, brebis, palais, maïs (2), souris, gros (2), bois, avis, jadis, après (2), puits, gris (2), temps, autrefois, Dupuis, laquais, repas, laps, ours, repos, tas, lilas.

a) _____, en courant dans les _____, mon père s'était blessé gravement au _____.

b) Le _____ dernier, monsieur _____ a reçu un _____ au sujet de ses _____.

c) _____, on trouvait des _____ dans les _____.

d) _____ avoir dégusté un excellent _____ de _____, la _____ s'est rendue près du _____ _____ _____.

e) _____ un court _____ de _____, le _____ _____ _____ alla prendre un peu de _____ près du _____ de _____ situé non loin d'un arbuste aux fleurs odorantes que l'on nomme _____.

Pourriez-vous produire d'autres phrases à l'aide des mots de la liste? Vous les soumettrez ensuite à un camarade qui tentera de les compléter.

Terminez, à l'aide des mots de l'étape 1, la grille suivante. Les mots ne se lisent qu'horizontalement.

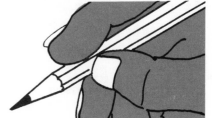

1					■	■	■	■		
2					■					
3			■							
4				■						
5			■							

1. espace couvert de végétation dans un désert - le corps humain en compte plus de 200.

2. pièce d'étoffe qui recouvre le sol - plante à fleurs blanches.

3. membre supérieur chez l'homme et le singe - personne qui s'introduit quelque part sans en avoir le droit.

4. synonyme de paquet - synonyme de simple d'esprit.

5. synonyme de potelé - habitation somptueuse.

Pourriez-vous, en équipes de deux, rédiger une histoire drôle en utilisant le plus grand nombre de mots tirés de la liste?
Vous veillerez cependant à ce que l'ensemble de votre texte ait du sens et que chacune des phrases soit acceptable.
Quand votre travail sera terminé, vous le lirez à la classe qui en appréciera la valeur.
Vous indiquerez de plus la méthode que vous avez utilisée pour le créer. Quelle équipe saura produire le texte le plus drôle tout en étant correct sur le plan logique?

5. Je me rappelle.

a) Parfois, la prononciation et le genre nous indiquent, à coup sûr, la façon d'écrire correctement ce mot.
Ex.: un os, **une** oasis, un lis, un laps, du maïs, un lapsus, un ours.

b) Parfois, la prononciation, le genre et le nombre nous indiquent la façon d'écrire correctement ce mot.
Ex.: une / des oasis, un / des lis, un / des laps

c) Parfois, en mettant le mot au féminin, on découvre automatiquement la façon de l'écrire sans erreurs au masculin.
Ex.: grosse → gros, lasse → las, grasse → gras,
grise → gris, mauvaise → mauvais, basse → bas,
niaise → niais, intruse → intrus.

d) Parfois, c'est en pensant à un mot de la même famille qu'on découvre la finale du masculin.
Ex.: bois → boisé, bras → brassée, amas → amasser,
tapis → tapisser, avis → aviser, repos → reposer.

e) Plusieurs mots exprimant une idée de temps se terminent par **s**.
Ex.: fois, puis (ensuite), mois, depuis, temps, alors, jamais, jadis, autrefois, printemps, parfois, ...

f) Et les autres mots se terminant par **s** (il n'en reste que peu) doivent être appris individuellement.
Ex.: trois, fois, repas, pas (n.), as, palais, laquais, lilas, ramassis, puits, fils, brebis, souris, Dupuis.

6. Je livre combat.

Vous êtes regroupés en équipes de deux.
Le professeur vous dicte des mots qui se terminent soit par **s**, soit par une autre lettre.

Vous écrivez d'abord individuellement ces mots sur la partie de gauche de votre feuille et vous notez, pour ceux qui se terminent par **s**, le moyen (ou le truc) employé pour connaître la lettre finale.

Ensuite, vous rejoignez votre équipier et vous faites les corrections s'il y a lieu.

Lorsque vous êtes certains que votre travail d'équipe ne comporte pas d'erreurs, vous donnez votre copie à une autre équipe.

On procède alors à la correction avec le maître. Les meilleures copies seront affichées sur les murs de la classe.

Chapitre 21

Une explosion

Voici le texte de l'interview qu'a réalisée une journaliste sur les lieux d'une grave déflagration.

1 ''M. Paquin, vous vous trouviez **dans** la bâtisse au moment de l'explosion?

2 - Non, je n'étais pas **dans** cette bâtisse. Je venais à peine **d'en** sortir.

3 - Est-ce que vous étiez seul sur les lieux lors de la déflagration?

4 - Non, j'étais accompagné de trois camarades qui venaient aussi de sortir de cette bâtisse.

5 - J'aimerais savoir **dans** quelle partie de l'établissement l'accident est survenu.

6 - C'est **dans** l'entrepôt que l'explosion s'est produite.

7 - En quoi consistait votre travail au moment de l'accicent ?

8 - Nous devions, avant **d'en** finir avec le travail commencé la veille, procéder, **dans** les plus brefs délais, au chargement d'explosifs destinés à une carrière située **dans** les environs.

9 - Quelle heure était-il lorsque l'explosion est survenue?

10 - Il devait être environ 9:15.

11 - Croyez-vous que d'autres personnes se trouvent encore **dans** l'établissement?

12 - Non, nous n'étions que quatre.

13 - Connaissez-vous la cause de cette explosion?

14 - Non. Je viens justement **d'en** parler avec un autre journaliste. Il faudra attendre les résultats de l'enquête avant de pouvoir se prononcer à ce sujet.

15 - Monsieur Paquin, je vous remercie de nous avoir accordé cette entrevue.''

Compréhension du message

1. Quelle est l'intention de l'auteur en écrivant ce texte?

2. De quoi est-il question dans ce reportage? Dites-le en une seule phrase.

3. Où trouve-t-on habituellement ce genre de reportage?

4. À qui s'adresse ce texte?

5. Pourquoi place-t-on un tiret devant chacune des questions et des réponses?

6. Dans ce texte, la journaliste aurait-elle pu employer le mot "détonation"? À la place de quel mot aurait-elle pu l'utiliser?

Interprétation

En équipes de deux, interprétez cette scène. L'un jouera le rôle du **journaliste**; l'autre, celui de l'**employé**. Quelle équipe saura interpréter avec **le plus de naturel** cette scène?

Étude de la phrase interrogative

1. Classement

À l'aide du numéro placé devant chacune de ces phrases, classez celles-ci en deux ensembles. Dans le premier, on trouvera les phrases qui servent à interroger; dans le deuxième, les autres.

2. Observation

Les phrases du premier ensemble servent toutes à interroger.
Ces phrases (celles du premier ensemble) sont-elles toutes construites de la même

162

façon? Pourriez-vous les regrouper en trois sous-ensembles selon la façon dont elles sont construites? Vous indiquerez, sous chacun de ces sous-ensembles, un titre approprié.

Par les groupements que vous venez de faire, peut-on dire que le seul moyen de reconnaître à coup sûr une phrase interrogative est la présence du point d'interrogation en fin de phrase? Prouvez votre réponse à l'aide des phrases numéros 1 et 5.

3. À la découverte de la règle

Pourrait-on nommer phrase interrogative directe celle qui se termine par le point d'interrogation?

Conviendrait-il alors de nommer phrase interrogative indirecte celle qui, tout en servant à interroger, ne se termine pas par le point d'interrogation?

4. Application

Les procédés interrogatifs
a) Vous voulez connaître le nom d'une personne que vous venez de rencontrer pour la première fois.
Proposez cinq formules différentes que vous pourriez utiliser pour lui demander son nom.

b) Vous désirez savoir où demeure cette personne.
Proposez également quelques formules différentes que vous pourriez employer pour obtenir ce renseignement.

c) À supposer que cette personne ne soit que de passage dans votre ville et que vous vouliez savoir si elle aime votre région, proposez trois façons qui vous permettraient d'obtenir ses impressions.

d) Vous voulez connaître le genre d'emploi qu'occupe cette personne. Proposez trois constructions différentes vous permettant d'être renseigné à ce sujet.

e) Vous désirez savoir combien de temps elle doit demeurer dans la région. Demandez-le-lui de trois façons différentes.

De la phrase interrogative indirecte à la phrase interrogative directe.

a) J'aimerais connaître le nombre d'habitants que compte votre région.

b) Je désirerais savoir le nom du maire de votre ville.

c) J'aimerais que vous puissiez m'indiquer le nom des principales industries de la région.

d) J'apprécierais que vous m'indiquiez la route à emprunter pour me rendre à Nicolet.

e) J'aimerais que vous puissiez remercier monsieur le directeur pour son accueil très chaleureux.

Placez, s'il y a lieu, le point ou le point d'interrogation.
Vous poserez également le trait d'union à l'endroit approprié.
a) Avez vous fait un beau voyage

b) J'aimerais que vous me fassiez part de vos impressions de retour de ce voyage au Vénézuéla.

c) À quoi occupiez vous vos moments libres

d) Étiez-vous logé dans un bon hôtel

e) Et la nourriture

f) Vous avez sûrement visité quelques musées

g) Qu'est-ce qui a davantage attiré votre attention

h) Les gens sont ils accueillants

i) C'est un endroit que vous seriez tenté de recommander

164

Terminez les phrases suivantes.

_____ est votre nom?

_____ compagnie aérienne a assuré votre transport?

_____ endroits avez-vous davantage appréciés?

_____ difficultés avez-vous rencontrées au cours de ce voyage?

_____ de personnes se trouvaient à bord de l'avion?

_____ s'est effectué votre vol?

_____ en était à leur premier voyage en avion?

_____ se sentaient-ils au départ?

_____ parmi ces avions est un Boeing 747?

_____ sont des DC-8?

_____ de ces personnes est préposée à l'accueil des visiteurs?

_____ de ces personnes sont préposées à l'accueil des passagers?

5. Résumé

On appelle phrase interrogative directe celle qui se termine par un point d'interrogation.

Ex.: Est-ce que vous avez fait un bon voyage?
Avez-vous fait un bon voyage?

On appelle phrase interrogative indirecte celle qui, tout en servant à interroger, ne se termine pas par un point d'interrogation.

Ex.: J'aimerais savoir si vous avez fait un bon voyage.
J'aimerais que vous me disiez si vous avez fait un bon voyage.

Expression

Sur un sujet de votre choix, et sur lequel vous désirez vraiment obtenir des renseignements précis, préparez un questionnaire d'enquête.
Vous le présenterez d'abord à 5 élèves de 4e année pour en évaluer la facilité de compréhension.

Vous le soumettrez ensuite (si les élèves de 4e année ont su y répondre facilement) à 10 élèves de 4e année, 10 de 5e et 10 de 6e. Vous comparerez ensuite les renseignements fournis par chacun de ces trois groupes.

Vous rédigerez enfin un court texte pour le journal de l'école faisant connaître la façon dont s'est effectuée la recherche et les conclusions auxquelles vous êtes parvenu.

Homophones

Doit-on écrire **dans** ou **d'en**?

1. Observation

Relisez le texte présenté au départ. Vous remarquerez sans doute que quelques mots sont en caractères gras. Ces mots (dans et d'en) se prononcent de la même façon mais ne s'écrivent pas de la même manière.
Ils ne peuvent non plus s'employer l'un pour l'autre.
Étudions-les de plus près.

Vous vous trouviez **dans** la bâtisse?
Je venais **d'en** sortir.
Que faisiez-vous **dans** l'établissement quand la détonation s'est produite?
Avant **d'en** finir avec le travail commencé la veille, nous devions charger des explosifs.

2. Terminons

Après avoir observé les exemples qui précèdent (et ceux du texte), vous pouvez sûrement écrire sans difficulté **dans** ou **d'en** à l'endroit approprié.

a) Paul est-il encore_____ la maison?

b) Non, il vient tout juste_____sortir.

c) Même_____les matches importants, cet athlète ne perd jamais son calme.

166

d) Il vient d'ailleurs _____ donner une preuve éclatante.

e) _____ combien de temps les supporteurs de cette équipe se proposent-ils d'offrir autant de cette collaboration que les équipes adverses reçoivent de leurs partisans?

f) De quoi est-il question _____ ce livre?

g) Il vient tout juste _____ apporter deux nouveaux.

h) C'est _____ la soirée que son mal de _____ a commencé.

i) Il vient _____ endurer suffisamment pour apprendre que les visites régulières chez le médecin constituent une nécessité.

j) Je viens _____ prendre _____ le plateau qui se trouve sur la table.

3. Substitution

Corrigez les réponses que vous venez de fournir à l'exercice précédent en remplaçant le mot **dans** par le mot **dedans** et le mot **d'en** par **de cela.** Si la substitution ne nuit pas au sens de la phrase, c'est que vous les avez employés correctement.

4. À la découverte de la règle

Terminez les deux phrases suivantes. Vous découvrirez ainsi la règle.

Quand je peux remplacer **dans** par un mot qui a le même sens que _____ pendant, à l'intérieur, etc., ce mot s'écrit ainsi: **dans**.
Ex.: Les enfants jouaient **dans** la cour de l'école.

Dans tous les autres cas (il signifiera alors **de cela**), il s'écrit _____ sauf, bien sûr, lorsqu'il est question de ce qui sert à la mastication de la nourriture, c'est-à-dire les dents! Pensez alors à des mots de la même famille comme: dentier, denture, dentition, dentifrice, etc.
Ex.: Ils n'y sont plus, ils viennent **d'en** sortir.

5. Résumé

On écrit **dans** quand il a le sens de dedans, pendant, à l'intérieur.
Ex.: Il arrive **dans** (à l'intérieur de) la boutique.

On écrit **d'en** quand il a le sens de "de cela".
Ex.: Il vient **d'en** sortir, de cette boutique.

Et **dent**... (dentier, denture, dentition, etc.)

Chapitre 22

Une bonne leçon

Un excellent repas!
Un jour, une femme entra dans un débit de boissons et s'avança tranquillement vers son mari assis à une table et buvant en compagnie de deux amis.

"Pensant que tu serais trop occupé pour revenir souper à la maison, je me suis décidé à te l'apporter ici."

Elle sortit sans rien ajouter.

Son homme se mit à rire, mais il avait l'air tout gêné. Il invita quand même ses amis à partager son souper. Il enleva le couvercle.

Mais le bol était vide. Il contenait seulement un billet sur lequel il lit:

"Je souhaite que ton souper te semble bon. C'est le même que ta femme et tes enfants auront à la maison."

Le Colombien, mars 1978.

Compréhension du message

1. Quelle est l'intention de l'auteur en écrivant ce texte?

2. Pour faire comprendre à son mari les conséquences de ses gestes, la femme aurait pu commencer une discussion avec son mari. Elle aurait également pu se fâcher et l'accabler d'injures.
Mais comment s'y est-elle prise pour ramener son mari à la raison?

3. Expliquez le titre du texte. Est-il en accord avec l'événement raconté?

Y a-t-il un indice vous permettant de penser qu'il ne s'agira peut-être pas d'un excellent repas?

4. Selon vous, lequel des deux titres convient le mieux au texte: Une bonne leçon ou Un excellent repas?

Interprétation

Jouez cette scène.

Voici quelques suggestions susceptibles de vous aider dans votre interprétation.

a) Combien de personnages faut-il pour interpréter cette scène?

b) Quels sont les éléments du décor?

c) De quoi discutent les hommes avant l'arrivée de la femme?

d) Que font-ils?

e) Quelle impression se trouve sur le visage du mari au moment où il aperçoit sa femme qui se dirige vers lui avec un plat?

f) Sur quel ton la femme s'adresse-t-elle à son mari?

g) Quelle est l'expression de son visage?

h) Sort-elle lentement, rapidement ou selon son pas habituel?

i) Que fait le mari aussitôt que sa femme se dirige vers la porte?

j) Et que lui disent ses deux amis?

k) Quelle réaction a le mari lorsqu'il enlève le couvercle?

l) Que fait-il avec le billet? Le lit-il à voix haute ou à voix basse?

m) Que fait-il après l'avoir lu?

n) Comment se termine la scène?

170

Évaluation

En utilisant les éléments du tableau qui précède, le maître, les autres élèves et les acteurs discutent de la façon dont la saynète a été interprétée.

Entraînement à l'expression

1. a) Le paragraphe d'introduction (le premier) est-il suffisamment précis pour vous indiquer dans quel contexte se déroule la scène?

b) Mais si l'auteur avait voulu montrer que la femme faisait peine à voir, qu'aurait-il pu faire?

c) Et s'il avait voulu nous faire sentir les odeurs se dégageant de cet endroit, qu'aurait-il pu dire?

d) Enfin, si le rédacteur avait voulu nous montrer le mari décontracté, détendu, qu'aurait-il pu ajouter?

e) Selon vous, les informations qu'aurait pu nous donner l'auteur en répondant aux questions b, c, d étaient-elles nécessaires?
Pourquoi?

2. Récrivez le premier paragraphe. Vous y ajouterez la phrase suivante que vous ponctuerez correctement.

Elle y déposa un plat et dit Pensant que tu serais trop occupé pour revenir souper à la maison, je me suis décidée à te l'apporter ici.

Faites de même avec la phrase suivante.

Le bol ne contenait qu'un billet sur lequel était écrit Je souhaite que ton souper te semble bon. C'est le même que ta femme et tes enfants auront à la maison

3. En commençant votre phrase par "Je me suis décidée...", récrivez le deuxième paragraphe. Quelle version préférez-vous?

4. Selon vous, quel(s) paragraphe(s) forme(nt):

a) l'introduction? Dites pourquoi.

b) la conclusion? Dites pourquoi.

c) le développement? Dites pourquoi.

Ponctuation

Quand employer les deux points (**:**) et les guillemets (" ")?

1. Observation

Observez la présence des deux points et des guillemets dans les couples de phrases suivants:

a) La femme déposa un plat sur la table en disant à son mari qu'elle pensait qu'il serait trop occupé pour revenir souper à la maison.

b) La femme déposa un plat sur la table et dit à son mari: "Je pensais que tu serais trop occupé pour revenir souper à la maison, je me suis donc décidée à te l'apporter ici."

c) La femme qui avait écrit le billet souhaitait à son mari que son souper lui semble bon.

d) La femme avait écrit sur le billet: "Je souhaite que ton souper te semble bon."

e) L'homme demanda à sa femme ce que contenait le plat.

f) L'homme demanda à sa femme: "Que contient ce plat?"

172

2. Réflexion

a) Les premières phrases (a, c, e) de chaque couple expriment-elles la même idée que les phrases b, d et f?

b) Les deux phrases de chaque couple ont-elles les mêmes signes de ponctuation?

c) Pourriez-vous tenter une explication au fait que tout en exprimant une même idée les deux phrases de chaque couple n'aient pas la même ponctuation?

d) Se pourrait-il que la ponctuation soit la même dans les phrases (b, d, f) parce que l'on rapporte, **mot à mot**, les paroles prononcées par la personne qui les a dites? Prouvez votre réponse à l'aide de l'exemple suivant:

L'un des deux amis demanda au mari qui était la femme qui s'avançait vers eux.

L'un des deux amis demanda au mari Qui est la femme qui s'avance vers nous.

Vérification

Corrigez, s'il y a lieu, la ponctuation des phrases du deuxième exercice de l'étape intitulée "Entraînement à l'expression".

3. Résumé

On appelle style direct une phrase qui rapporte **mot à mot** les paroles prononcées par quelqu'un.
Ex.: Mon père me répétait souvent: "C'est dans les petits pots qu'on trouve les meilleurs onguents."

On appelle style indirect une phrase qui exprime l'idée, dite ou écrite par quelqu'un, mais sans que l'on rapporte mot à mot ce qu'il a dit ou écrit.
Ex.: Mon père me répétait souvent **que** c'est dans les petits pots qu'on trouve les meilleurs onguents.

C'est donc dans des phrases de style direct (c'est-à-dire où l'on rapporte **mot à mot** les paroles dites ou écrites par quelqu'un) qu'on emploie les deux points et les guillemets.

4. Application

Transformez en style direct les phrases suivantes:

a) Le mari dit à sa femme qu'il ne prendrait plus de boisson.

b) Le mari promit à sa femme qu'il rentrerait tôt ce soir.

c) L'un des deux amis demanda au mari combien il avait d'enfants.

d) Le garçon de table demanda à la dame qui elle cherchait.

e) Elle lui répondit qu'elle venait porter le souper de son mari.

Transformez en style indirect les phrases suivantes:

a) Le garçon de table dit au mari: "Votre femme vous attend à la porte."

b) Le mari lui répondit: "Dis-lui que je termine ma bière et que je serai à la maison d'ici une dizaine de minutes."

c) À la réponse que vint lui faire le garçon, la femme se fâcha et s'écria: "C'est un fainéant, un sans-coeur, un ivrogne!"

d) À ces mots, l'homme sursauta et dit: "Je te remercie du compliment!"

e) Et la femme quitta les lieux en murmurant: "Fainéant, sans-coeur, ivrogne; fainéant, sans-coeur, ..."

Quelle est, selon vous, l'utilité du style direct? Pourriez-vous le prouver à l'aide d'un exemple?

Expression

Vous vous êtes bagarré dans la cour de récréation et vous êtes sorti vainqueur de votre combat. Aussitôt la bataille terminée, vos amis se groupent et vous félicitent. Mais, au même moment, le surveillant s'approche et vous indique de vous rendre au bureau du directeur. Vous êtes orgueilleux de nature et un peu fanfaron. En

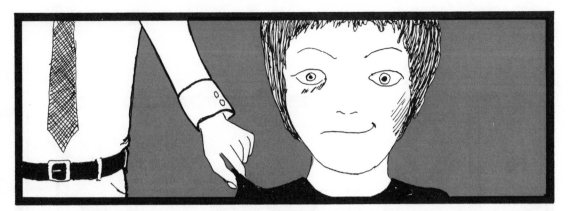

vous rendant au bureau, vous goûtez encore votre victoire et vous ne craignez pas les remontrances du principal. Mais...

Racontez cet incident à un ami à qui vous écrivez une lettre. Après avoir décrit briè-vement les circonstances dans lesquelles la bataille a débuté et la façon dont s'est déroulé le combat, vous raconterez surtout la conversation que vous avez eue avec le directeur et la façon dont le tout s'est terminé.

Chapitre 23

Une invitation

Lisez d'abord le texte de la colonne de gauche. Faites ensuite lecture du texte figurant à droite.

Comme par les années passées, l'exposition organisée par le cercle des Créateurs aura lieu, de nouveau cette année, au centre des Loisirs, mardi prochain de 19h à 22h.

L'exposition annuelle organisée par le cercle des Créateurs de la région Richelieu-Yamaska aura lieu à nouveau cette année au centre des Loisirs de Saint-Laurent-sur-le-Fleuve, petite localité située en bordure du fleuve, entre Tracy et Contrecoeur, le mardi 22 juin prochain, de 19h à 22h.

Lors de cette exposition, M. Philippe Desmeules, personnage bien connu de notre région, y présentera sa collection de maquettes.

Lors de cette exposition, on pourra y admirer, entre autres, les maquettes de bateaux de M. Philippe Desmeules, un maquettiste de profession âgé de quatre-vingts ans.

Comme on le sait, M. Philippe prépare depuis bientôt 50 ans les maquettes de plusieurs bateaux construits dans nos chantiers maritimes.

M. Desmeules prépare, depuis bientôt 50 ans, selon les plans fournis par diverses compagnies de construction navale, les maquettes de différents bateaux, dont plusieurs ont été construits dans les chantiers maritimes de la région de Sorel.

Depuis déjà quelques années, Yvan le seconde dans ses travaux, en vue d'assurer la relève.

Depuis déjà quelques années, son fils, Yvan, ingénieur maritime, le seconde dans ses travaux, en vue d'assurer la relève.

La population de toute la région est donc invitée à venir apprécier les oeuvres de M. Philippe, qui saura sans doute, à sa manière habituelle, vous raconter quelques bonnes blagues tout en se faisant un plaisir de répondre à vos questions.

On pourra assister à cette exposition, en se rendant au 8587 de la route Marie-Victorin, à Saint-Laurent-sur-le-Fleuve. L'auteur sera sur place pour répondre à vos questions.

Compréhension du message

1. Ces deux textes décrivent-ils le même événement?

2. Le but poursuivi par l'auteur de chacun d'eux est-il le même? Si oui, quel est-il? Sinon, quel est le but de chacun des deux rédacteurs?

3. Dans quel(s) genre(s) de publication pourriez-vous trouver le texte de la colonne de gauche?

4. Et celui de droite?

5. À qui s'adresse le texte de gauche?

6. Et celui de droite?

7. Pourquoi le texte de droite est-il plus élaboré? Les précisions que l'on trouve dans celui-ci vous semblent-elles nécessaires compte tenu des personnes à qui il s'adresse?

8. Trouvez, dans le texte de gauche, des indices qui montrent que M. Desmeules est connu et apprécié des gens qui le connaissent.

9. Quel titre donneriez-vous au texte de gauche compte tenu des personnes auxquelles il est destiné?

10. Et à celui de droite, compte tenu également des personnes pour lesquelles il a été écrit?

11. En supposant que vous ne connaissiez pas l'endroit (Saint-Laurent-sur-le-Fleuve) où se tiendra cette exposition, lequel des deux textes vous présente les renseignements les plus précis vous permettant de vous y rendre?

12. Quels sont les renseignements figurant dans le texte de droite qui ne vous semblent pas nécessaires pour des gens de l'extérieur?

Entraînement à l'expression

A- Étude des deux textes

Texte de gauche

Texte de droite

1. Transformez la première phrase du texte en commençant par:

1. Transformez la première phrase du texte:

a) Mardi prochain...

a) pour en former deux.

b) C'est de 19h à 22h...

b) pour que la première des deux commence par: "C'est le mardi 22 juin prochain..."

c) C'est au centre des Loisirs...

c) pour que la deuxième commence par: "Cette exposition se tiendra cette année..."

d) Le cercle des Créateurs...

d) pour que tout le paragraphe (donc une seule phrase) commence par: "C'est à Saint-Laurent-sur-le-Fleuve, une petite localité..."

Les phrases ainsi produites vous semblent-elles toutes acceptables?
Conviennent-elles toutes compte tenu des personnes auxquelles s'adresse ce texte?
Laquelle vous semble la meilleure?
Pourquoi?

Les phrases ainsi produites vous semblent-elles toutes acceptables?
Conviennent-elles toutes compte tenu des personnes auxquelles s'adresse ce texte?
Laquelle vous semble la meilleure?
Pourquoi?

2. Modifiez la deuxième phrase en la commençant par:

2. Modifiez la deuxième phrase en la commençant par:

a) "M. Philippe Desmeules..."

a) "On pourra admirer, entre autres,..."

179

b) "La collection de maquettes..."

b) "Un maquettiste de **profession**, âgé de quatre-vingts ans, M. Philippe Desmeules, ..."

c) "**Âgé** de quatre-vingts ans, un maquettiste de profession, M. Philippe Desmeules, ..."

Laquelle (en y incluant celle du texte) préférez-vous?
Pourquoi?
Toutes trois sont-elles acceptables?

En y incluant la phrase du texte, laquelle préférez-vous?
Pourquoi?
Les quatre sont-elles cependant acceptables?

3. Récrivez d'une autre façon cette troisième phrase en insistant sur le fait que M. Desmeules fait ce travail depuis 50 ans.

3. Faites de même mais en insistant cette fois sur le fait qu'il travaille à partir des plans qui lui sont fournis par diverses compagnies de construction navale.

4. Transformez la quatrième phrase en la commençant par: "En vue d'assurer la relève..."
Quelle formulation préférez-vous?
Pourquoi?
Toutes deux sont-elles acceptables?

4. Transformez cette quatrième phrase en commençant par: "Yvan, son fils, ..."
Quelle formulation préférez-vous?

Pourquoi?
Toutes deux sont-elles acceptables?

5. Récrivez le dernier paragraphe en le scindant en trois phrases.

5. Pourriez-vous scinder ce dernier paragraphe en deux phrases? Et en trois?

Que préférez-vous: la phrase du texte ou le nouveau paragraphe que vous venez de composer?

Que préférez-vous: la phrase du texte ou le nouveau paragraphe à deux phrases? ou trois phrases?

Pourquoi?

Pourquoi?

B- Suppression de renseignements

Sachant que le texte qui suit doit paraître dans un journal de la région de Thetford où la famille de M. Casaubon est bien connue et voulant insister sur son travail, supprimez les détails qui vous semblent inutiles. Demeurez précis pour vos lecteurs.

Nomination à la compagnie "Les Mines du Québec"

M. Casaubon, un homme de sciences d'une quarantaine d'années, est marié et père de trois enfants: Danielle, Michelle et Luc. Il travaille présentement, parfois de 10 à 12 heures par jour, pour une importante compagnie minière de la région de Thetford, une petite localité située au nord-est de Montréal et à quelque 100 kilomètres à l'est de Québec.

Son travail consiste à vérifier, en laboratoire, la qualité du produit extrait au moyen d'un outillage fort complexe dont la compagnie "Les Mines du Québec" a récemment fait l'acquisition auprès d'une firme américaine réputée et hautement spécialisée dans la fabrication de ce genre d'appareil. Étant donné sa grande compétence, il a été nommé, il y a seulement quelques jours, lors d'une rencontre de tout le personnel de direction au restaurant "Le gourmet", au poste très envié de chef du département d'analyse de la compagnie.

Nous souhaitons à M. Casaubon la meilleure des chances dans ses nouvelles fonctions.

Expression

Préparez, sous forme collective, une lettre d'invitation, que vous adresserez à tous les parents des enfants de votre école (ou de votre classe), à assister à une exposition de travaux d'élèves. Vous aurez soin de donner quelques exemples de pièces qui y seraont exposées de façon à inciter les parents à venir en grand nombre.

Activités préparatoires

De façon à vous aider à rédiger votre texte, voici quelques principes que vous pourriez appliquer lors de la rédaction de votre lettre.

A- La précision

Si vous commenciez votre lettre ainsi, votre phrase serait-elle suffisamment précise pour vos lecteurs?

Les élèves vous invitent à une exposition.

Pourquoi?
Et si vous commenciez ainsi?

Les élèves **de 6ᵉ année de l'école (nom de votre école)** vous invitent à une exposition **de leurs travaux, mardi soir prochain, le (date), à compter de 19 heures.**

Quelle observation pouvez-vous faire au sujet des mots que nous avons écrits en caractères gras dans cette phrase?

B- La substitution

Si vous vous proposez de signer votre lettre comme suit: Les élèves de 6ᵉ année, vous pourriez remplacer "Les élèves de 6ᵉ année" du paragraphe précédent par "Le groupe des onze ans..." ou encore par "Nous, du groupe des onze ans, ..." Vous pourriez faire de même avec le verbe "invitent" que vous pourriez remplacer par:

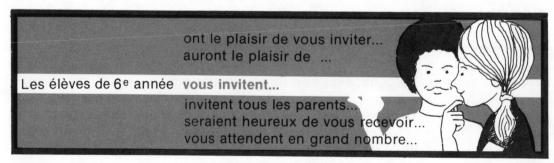

ont le plaisir de vous inviter...
auront le plaisir de ...

Les élèves de 6ᵉ année **vous invitent...**

invitent tous les parents...
seraient heureux de vous recevoir...
vous attendent en grand nombre...

C- La mise en relief

C'est le procédé qui consiste à attirer l'attention du lecteur. Le plus souvent, il consiste à placer, en début de phrase l'indication sur lequel on veut insister.

Ex.: Mardi soir prochain, à compter de 19 heures, les élèves de 6e année...

Un autre procédé de mise en relief consiste à commencer votre phrase par: C'est... que.

Ex.: C'est mardi soir prochain, à compter de 19 heures, **que** les élèves de 6e année...

En utilisant ces procédés, vous êtes maintenant en mesure de rédiger votre lettre d'invitation.

Évaluation

Quand vous aurez terminé votre première rédaction, vous la relirez, en appréciant, à l'aide du guide d'évaluation qui suit, la qualité de votre texte.

Guide d'évaluation

1) Notre texte donne-t-il les indications nécessaires au sujet de l'événement, de la date, de l'heure et de l'endroit?

2) Notre texte donne-t-il des exemples qui sont susceptibles d'inciter les parents à se présenter en grand nombre?

3) Notre texte est-il écrit sans erreurs sur les plans suivants: orthographe, vocabulaire, structure de phrases, ponctuation, construction des paragraphes?

4) Notre texte est-il écrit lisiblement?

5) Notre texte est-il trop long? Pourquoi ne doit-il pas l'être?

6) Enfin, notre texte (une lettre d'invitation) est-il disposé correctement, c'est-à-dire selon le mode habituel de présentation de ce genre de texte?

1. Observation

Observez la terminaison des verbes ayant le mot qui comme sujet. Que remarquez-vous?

a) M. Desmeules   présente ses oeuvres.
       ⌐_____,qui **est** un maquettiste de profession,

b) Celui   se nomme P. Desmeu-
       ⌐_____ qui **est** un maquettiste de profession   les.

c) Messieurs P. et Y. Desmeules   présentent leurs oeu-
         ⌐_____,qui **sont** des maquettistes de profession,   vres.

d) Ceux   se nomment P. et Y.
       ⌐_____ qui **sont** des maquettistes de profession   Desmeules.

2. Transformation

Transformez chacune des phrases de l'étape précédente de façon à en créer deux.

Ex.: M. Desmeules présente ses oeuvres. Il est un maquettiste de profession.

Vous pourriez également écrire:
M. Desmeules est un maquettiste de profession. Il présente ses oeuvres.

Que remarquez-vous en ce qui concerne la terminaison des verbes ayant **qui** comme sujet? Avez-vous également remarqué que le mot **qui** a disparu de ces phrases? Par quel mot a-t-il été remplacé? Ce mot est-il singulier ou pluriel?

184

3. Substitution

Remplacez les mots ou les groupes en caractères gras par un équivalent sans modifier le reste de la phrase. Que remarquez-vous?

a) **Ceux** qui assisteront à cette exposition seront émerveillés.

b) **Roger et Denis**, qui sont des amis de M. Desmeules, seront présents.

c) **La personne** qui est assise à votre droite est madame Dupré.

d) **Celles** qui doivent venir devraient bientôt arriver.

e) **Messieurs P. et Y. Desmeules**, qui sont respectivement âgés de 80 et 42 ans, travaillent ensemble depuis plusieurs années.

f) **Ceux** qui réussissent sont **ceux** qui travaillent.

g) **Les bateaux** qui sont construits dans les chantiers maritimes de Sorel ont **une renommée** qui dépasse nos frontières.

4. Terminons

Terminez les phrases suivantes en faisant les accords qui s'imposent.

a) La proue, qui est la partie_____du bateau, est (faire) d'acier.

b) La poupe, qui est la partie_____du bateau, est également (construire) en acier.

c) La cale, qui est l'endroit situé_____, (avoir) une profondeur de quelque dix pieds.

d) Le babord et le tribord qui (désigner) respectivement les côtés_____ et _____ du navire sont des mots que l'on confond souvent.

e) L'équipage, qui (être) l'ensemble des personnes travaillant à bord d'un bateau, doit connaître les règles élémentaires de sécurité maritime.

f) Le Titanic est le nom d'un bateau qui a (sombrer) en heurtant un iceberg.

g) Les icebergs, qui (être) des immenses blocs de glace qui (émerger) de l'eau, (constituer) de graves dangers pour les pilotes.

5. À la découverte de la règle

Un moyen très simple pour connaître la terminaison du verbe qui a le mot **qui** comme sujet consiste à remplacer ce mot (qui) par son antécédent (c'est-à-dire le mot que **qui** remplace).

Ex.: Philippe et Yvan Desmeules, qui **sont** des maquettistes, présentent leurs oeuvres.

Dans cette phrase, le mot en caractère gras est au pluriel parce qu'il s'accorde avec le mot **qui** qui remplace Philippe et Yvan Desmeules. En effet, je pourrais écrire: Philippe et Yvan Desmeules présent**ent** leurs oeuvres. Ils (remplace **qui**) **sont** des maquettistes.

Mais il existe un moyen encore plus simple d'écrire sans erreurs la terminaison du verbe ayant **qui** comme sujet. Nous ne vous donnons qu'un indice pour trouver cet autre moyen: que se produirait-il si nous supprimions les segments qui sont placés en retrait dans chacune des phrases de l'étape intitulée **Observation**?

6. Une erreur fréquente

Il arrive souvent que l'on dise ou que l'on écrive des phrases du genre de celles-ci:
Il faut qui vienne le plus tôt possible.

Je croyais qui disait la vérité.
Mon père pense qui viendra nous visiter à Noël.
Il ne faut pas qui soit malade à ce moment de l'année.
Je lui ai dit qui devait être sur le terrain vers 9 heures.

Que remarquez-vous d'incorrect dans ces phrases?
Corrigez-les de façon qu'elles deviennent acceptables en français.

Proposez un moyen de savoir quand il faut écrire **qui** ou **qu'il**.

Reprenez un texte que vous avez écrit récemment et voyez s'il ne contient pas des erreurs du même genre. Corrigez-les.

7. Applications

À quoi servent les groupes placés en retrait dans les phrases présentées à la première étape (observation)? Qu'y aurait-il de différent si on les supprimait? Pourquoi ces groupes vous semblent-ils importants?

Vous avez un correspondant de votre âge qui demeure dans une région assez éloignée de la vôtre. Vous voulez, à sa demande, lui décrire votre ville de façon précise.

Faites ce travail. Vous le soumettrez ensuite à votre professeur avant de l'expédier. Celui-ci vous aidera, si nécessaire, à le rendre plus précis.

Chapitre 24

Pourquoi écrire dimension mais attention ?

1. Observation

Voici un certain nombre de mots que nous avons tirés ou que nous avons formés à partir des échelons 1 à 14. Lisez-les. Que remarquez-vous sur la façon:

a) de prononcer la finale de ces mots?
b) d'écrire cette finale?

diversion	improvisation	création	inversion
dimension	question	récréation	perfection
injection	agitation	sanctification	percussion
diminution	consécration	communication	infraction
accélération	administration	glorification	effraction
rotation	épellation	ventilation	résurrection
indication	plantation	nation	appréhension
immunisation	libération	herborisation	propulsion
discrimination	rédaction	canalisation	habitation
infection	fortification	aggravation	radiation
articulation	figuration	pagination	arrestation
excursion	salutation	immunisation	affection
impression	évaporation	ramification	pulsion
répercussion	production	limitation	pulsation
commission	direction	datation	prestidigitation
tradition	nidification	violation	aviation
simplification	modernisation	coloration	automation
colonisation	culpabilisation	utilisation	indication

indigestion	fructification	prédiction	impulsion
incarcération	signalisation	formation	modification
admiration	valorisation	action	radiation
réduction	punition	respiration	indignation
location	perfection	aversion	annulation
imposition	imperfection	filiation	tradition
transmission	modernisation	relation	fiction
classification	bénédiction	intervention	aération
interprétation	nomination	multiplication	confection
mémorisation	dénomination	protection	immersion

2. Classement

Toutes les finales de ces mots se prononcent de la même façon. Cependant, ces finales ne s'écrivent pas toutes pareillement.
Faites autant de colonnes qu'il y a de façons d'écrire la finale de ces mots en indiquant en haut de chacune d'elles cette finale.
Écrivez, sous chacun de ces titres, une dizaine d'exemples.
Que remarquez-vous enfin?

3. Terminons.

Soit de mémoire, soit en vous aidant des échelons, ajoutez à la liste donnée au départ d'autres exemples du même genre. Est-ce toujours la même colonne qui continue à s'enrichir?

4. À la découverte de la règle

Il semble bien, après les observations que vous venez de faire, que les mots ayant une finale écrite en **tion** soient les plus fréquents en français.

Si vous voulez retenir la façon d'écrire les mots où la finale se prononce[**sjō**], que ferez-vous?

Quand vous aurez à écrire un texte où vous emploierez des mots ayant une telle finale, quel réflexe devrez-vous avoir en premier lieu?

Croyez-vous qu'il serait ensuite utile de vérifier dans votre dictionnaire pour voir si votre première impression était juste?

5. Application

En utilisant les mots des échelons 15, 16, 17 et 18 comme mots de base, formez, à partir de ceux-ci, des mots en[**sjõ**] quand cela est possible. Vous pouvez vous répartir la tâche pour effectuer ce travail.

Ex.: montre   →   démonstra**tion**
      lever   →   lévita**tion** (assez difficile celui-ci, n'est-ce pas?)
      dieu   →   déifica**tion** (et que pensez-vous de celui-là?)
      nul   →   annula**tion**
      livrer   →   _____
      obliger   →   _____
      comparer   →   (appartient-il à la série sur laquelle nous travaillons? Que faut-il faire alors?)

Terminez les phrases suivantes à l'aide du mot approprié. Si vous hésitez sur la façon d'écrire la finale, reportez-vous à votre dictionnaire.

a) La mi_____ des oiseaux se fait habituellement à l'automne et au début du printemps.

b) La cir_____ est dense à l'entrée des ponts, à l'heure de pointe.

c) Il existe différentes sortes de pro_____ en français. Citons les plus fréquentes: l'indépendante, la principale et la subordonnée.

d) En grammaire, on appelle in_____le fait de changer de place deux groupes fonctionnels.

e) Ce candidat a créé une forte im_____ auprès des juges.

f) La loco_____ est l'action de se déplacer d'un endroit à un autre.

g) Après avoir fait bombance, plusieurs personnes de ce groupe ont eu une indi__ _____ .

h) La pro_____ d'une automobile exige une juste réparti_____ du travail entre tous les employés de la chaîne de montage.

i) René doit faire une ex _____ samedi prochain, en direc_____ de Québec.

j) Cette défaite de l'équipe canadienne peut avoir de fortes réper_____ sur la suite de la série.

k) La do_____ des animaux s'est faite lentement au cours des âges.

Faites cinq phrases sur le modèle de l'exercice précédent. Soumettez-les ensuite à votre voisin qui tentera de les compléter.
Vous aurez pris soin de préparer le corrigé de vos exercices en vérifiant dans le dictionnaire les mots sur lesquels vous hésitez.

À l'aide de la liste de mots donnés au départ et des autres recueillis tout au long de cette activité, on fait un combat d'épellation en divisant la classe en deux. Bonne chance aux deux équipes!

6. Résumé

Les mots finissant par un son final en ⌈SJÕ⌉ se terminent le plus souvent par **tion**.

Mais, en présence d'un mot ayant un son final en ⌈SJÕ⌉, il est préférable de vérifier dans le dictionnaire la façon d'écrire la finale (sion ou tion).

Chapitre 25

En jouant avec les mots

Il arrive souvent que l'on trouve, dans les revues ou les journaux, de petites histoires du genre de celles-ci où leurs auteurs s'amusent avec les mots ou exploitent les finesses de la langue.
Lisez-les.

Le portrait d'un imbécile

Un monsieur, ayant fait prendre son portrait chez un photographe, refusait d'accepter la livraison et de payer la note, sous prétexte que la photographie n'était pas "du tout, du tout ressemblante".

Le lendemain, à la porte du photographe, on voyait la photo en question avec cette courte mais éloquente inscription: "Portrait d'un imbécile".

Furieux, l'intéressé intente une poursuite judiciaire. L'avocat du photographe posa ce simple dilemme:

"Si le portrait du demandeur n'est pas "du tout, du tout ressemblant", personne ne peut le reconnaître; il ne peut pas s'y reconnaître lui-même et, dans ce cas, il ne subit aucun préjudice de la part de mon client. Si, au contraire, on peut le reconnaître, c'est donc qu'il est ressemblant et, alors, il doit le prendre et le payer."

Le Colombien, mars 1978

Une réponse ingénieuse

Un célèbre faiseur de calembours se vantait de pouvoir répondre à toute question par un trait d'esprit.

Une dame s'étant montrée incrédule voulut l'éprouver.

"Madame, dit-il, veuillez choisir vous-même votre sujet.

- Le roi", demanda-t-elle.

Et il répondit aussitôt:

- Le roi n'est pas un sujet."

Le Colombien, mars 1978

Compréhension du message

1. Quelle est l'intention de l'auteur en écrivant ce texte?

1. Quelle est l'intention manifestée par l'auteur de ce deuxième texte?

2. Sur quel point précis l'avocat du photographe s'est-il appuyé pour donner raison à son client?

2. Qu'est-ce qu'un calembour? Expliquez si possible votre réponse uniquement à l'aide du texte.

3. Qu'est-ce qu'un dilemme?

3. Que faut-il savoir pour trouver ingénieuse la réponse du "faiseur de calembours"?

4. Et un préjudice?

4. Qu'est-ce qu'une personne incrédule? Comment appellerait-on une personne qui croit facilement tout ce qu'on lui dit?

5. Exprimez oralement le raisonnement fait par l'avocat du photographe pour donner raison à son client.

5. Interprétez cette scène.

Entraînement à l'expression

La plupart des auteurs d'histoires du genre utilisent un certain nombre de procédés pour "faire passer" leurs messages.

En voici deux:
1. donner à un même mot des significations différentes
Ex.: semer (du gazon) / semer (la police)
Un évadé se présente chez un grainetier et lui demande: "Auriez-vous quelque chose pour semer...la police"?

2. mal interpréter ce que nous dit quelqu'un
Ex.: histoire de personnes dures d'oreilles
Une dame âgée appelle le médecin et lui dit, tout affolée, que son mari vient de s'évanouir.

194

Le médecin lui dit de poser sur la nuque du vieux une compresse d'eau froide et la vieille, de répéter: "Je vais lui mettre, me dites-vous, une presse froide et je vais l'envoyer à La Tuque?"

En vous rappelant quelques histoires, pourriez-vous allonger notre liste de procédés?

Expression

1. Écrite

En utilisant un (ou des) procédé(s) de votre choix, créez une histoire drôle qui pourrait paraître dans le journal de l'école.

Pour la présenter, vous pourriez vous inspirer des deux modèles fournis au début de cette leçon.

N.B. Il va sans dire que ce doit être une histoire que vous créez et non pas une histoire déjà connue. Qui saura être le plus drôle ou le plus subtil?

2. Orale

Racontez votre histoire à vos camarades. Qui sera le conteur le plus habile?

Conjugaison

1. Observation

Observons ce tableau.

1re groupe	2e groupe		3e groupe	
Je félicitai	Je bâtis	J'allai	Je courus	Je vis
Tu félicitas	Tu bâtis	Tu allas	Tu courus	Tu vis
Il félicita	Il bâtit	Il alla	Il courut	Il vit
Nous félicitâmes	Nous bâtîmes	Nous allâmes	Nous courûmes	Nous vîmes
Vous félicitâtes	Vous bâtîtes	Vous allâtes	Vous courûtes	Vous vîtes
Ils félicitèrent	Ils bâtirent	Ils allèrent	Ils coururent	Ils virent

Ces cinq verbes sont conjugués au passé simple.

De combien de façons différentes peuvent se terminer les verbes conjugués à la première personne du singulier du passé simple?
Notez-les dans votre cahier.

Et à la deuxième?
Notez-les également dans votre cahier.

À la troisième?
Écrivez-les aussi.

Et à la première personne du pluriel?
Écrivez-les.

Et à la deuxième du pluriel?
Notez-les.

Enfin, à la troisième du pluriel?
Notez-les aussi.

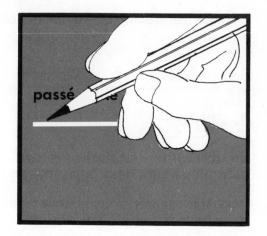

2. Vérification

Votre tableau devrait ressembler à celui-ci. Utilisez-le pour corriger le vôtre.

	1re personne	2e personne	3e personne
singulier	ai, is, us	as, is, us	a, it, ut
pluriel	âmes, îmes, ûmes	âtes, îtes, ûtes	èrent, irent, urent

3. Terminons.

En vous aidant du relevé précédent, pourriez-vous terminer le tableau suivant dans votre cahier?

196

Je chantai	Je finis	J'envoyai	Je fis
Tu (mélanger)	Tu (pâtir)	Tu (boire)	Tu (plaire)
Il (voler)	Il (bénir)	Il (conduire)	Il (vaincre)
Nous (pleurer)	Nous (s'appauvrir)	Nous (paraître)	Nous (mourir)
Vous (laisser)	Vous (brandir)	Vous (croire)	Vous (voir)
Ils (arriver)	Ils (maudire)	Ils (dire)	Ils (acquérir)

4. Application

Écrivez les verbes entre parenthèses au passé simple.

À la pêche

Je (tirer). La truite (rester) accrochée à ma ligne. Elle (gigoter) un court moment. Je (m'allonger) le bras et la (décrocher) avec précaution. Aussitôt, Pierre (s'approcher). Il (mettre) ses doigts dans les ouïes sanglantes et (retirer) l'hameçon. Je (ressentir) comme un vague malaise quand je (voir) la bête se débattre. N'osant plus y toucher, je (mettre) le nez dessus pour l'examiner. Tout à coup, d'un coup de queue, elle me (sauter) au visage.

Attention! Elle sent l'eau! Elle y retournerait bien. Et de fait, elle s'y dirigeait.

Cette fois, je la (saisir) par les ouïes et lui (laisser) faire le battant de cloche.

Ce (être) son dernier effort. Elle se (courber) sur ma main et je (pouvoir) admirer sa merveilleuse robe tachetée de points rouges. Fiers de notre première prise, nous (l'apporter) à la maison et la (déguster) le soir même.

Ce (être) une merveilleuse journée!

Transformez ce récit pour en faire une histoire de chasse. Vous raconterez ce fait à l'un de vos amis comme s'il vous avait été raconté par deux chasseurs que vous connaissez.

Votre texte devrait commencer comme suit: Ils tirèrent. L'animal ne broncha pas. Ils tirèrent à nouveau et cette fois, il tituba...

5. Résumé

Au passé simple, les verbes des 3 groupes se terminent comme suit:

	1ʳᵉ personne	2ᵉ personne	3ᵉ personne
singulier	ai, is, us	as, is, us	a, it, ut
pluriel	âmes, îmes, ûmes	âtes, îtes, ûtes	èrent, irent, urent

Donnez un exemple illustrant chacune de ces finales, après avoir reproduit ces lignes dans votre cahier.

Chapitre 26

Une image vaut mille mots

On voit de plus en plus, soit dans les journaux, soit dans les revues, soit sur les panneaux publicitaires, des messages du genre de celui qui suit.

HISTOIRE SANS PAROLES

Compréhension du message

1. Que signifie ce message?

2. Si vous vouliez résumer en une courte phrase l'essentiel de ce message, qu'écririez-vous?

3. Quel est le but de l'auteur en présentant ainsi son message?

4. Dans cette séquence illustrée, il est question de l'orignal du Québec. Pourriez-vous trouver un synonyme à ce nom d'animal?

5. À qui s'adresse ce message?

6. Si ce message était destiné à des spécialistes de la conservation de la faune, serait-il suffisant? Sinon, pourquoi?

7. Que pensez-vous d'un tel procédé pour faire comprendre rapidement un message?

8. Que signifie le titre donné à cette leçon?

9. Et celui de la bande dessinée?

Entraînement à l'expression

Lisez attentivement ce qui suit.

1. Contexte

Vous êtes convaincu que l'exercice physique et la pratique des sports constituent d'excellents moyens pour se tenir en santé.

Vos parents aussi en sont persuadés. Ils en discutent souvent et se disent que c'est demain qu'ils commenceront. Cependant, les jours se suivent et rien ne change.

2. Intention

Voyant que les mots ne sont pas suffisants pour les inciter à retrouver leur bonne forme physique, vous décidez donc de prendre un autre moyen.

3. Moyen

Après avoir étudié quelques moyens possibles, vous décidez d'utiliser la bande dessinée et pour être certain qu'ils la liront, vous avez décidé de la leur expédier par la poste.

4. Scénario

Avant de commencer votre bande dessinée, vous en prévoyez le déroulement comme suit:

1re illustration
Vous dessinez votre père et votre mère assis au salon et se livrant à leur occupation habituelle (télévision, lecture, tricot, etc.). De la boisson gazeuse, des croustilles et du chocolat se trouvent sur une table placée entre vos parents.

2e illustration
Vous vous présentez dans l'embrasure de la porte avec deux raquettes de badminton.

3e illustration
Ils vous accompagnent dans la cour où vous avez déjà installé le filet.

4e illustration
Vous les présentez en action.

5e illustration
Vous montrez l'un des deux au sortir de la douche.

6e illustration
Vous vous retrouvez tous trois, au salon, le sourire aux lèvres.

5. Le message complet

Voici comment pourrait se présenter votre travail au moment où vous l'expédieriez.

À s'entraider, on se fait du bien!

(Votre prénom), qui vous aime.
À ce soir, 19 heures!

N.B.
Votre bande dessinée pourrait être accompagnée d'une courte lettre sur laquelle vous diriez à vos parents que les mots n'ayant pas suffi à les convaincre, vous avez alors décidé de prendre les grands moyens.

Expression

En utilisant un sujet de votre choix, où votre but sera de convaincre vos lecteurs de..., produisez une bande dessinée en suivant les étapes proposées sous le titre **Entraînement à l'expression.**

Vous pourriez également remplacer la bande dessinée par une affiche. Vous feriez alors les changements qui s'imposent dans la démarche proposée (étapes 4 et 5 surtout).

Évaluation

Lorsque votre travail sera terminé, vous le remettrez à votre professeur qui, au moment jugé opportun, l'affichera en classe.
On procédera alors à son évaluation en utilisant la grille qui suit.

Grille d'évaluation

1. Le message que l'auteur a voulu présenter est-il compris   **1   2   3   4   5**
de la même façon par la majorité des élèves de la classe?

Pour évaluer cet aspect, chaque élève écrit ce qu'il a compris
du message. Quelques-uns lisent ensuite leur réponse et les
autres indiquent laquelle des réponses fournies correspond
à la leur.
L'auteur donne enfin **sa** réponse.

2. Le but (informer, divertir, convaincre, émouvoir, etc.) visé   **1   2   3   4   5**
par l'auteur se voit-il clairement?

Pour évaluer cet élément, les élèves procèdent de la même façon qu'en 1.

3. Le déroulement de la bande dessinée est-il logique? (Ne   **1   2   3   4   5**
s'applique pas dans le cas de l'affiche.)
Pour évaluer cet élément, l'auteur décrit chacune des étapes
de son scénario, par suite des réponses données par le
groupe.

4. Le(s) dessin(s) est (sont)-il(s) assez clair(s) pour qu'il(s) ne   **1   2   3   4   5**
constitue(nt) pas un obstacle à la compréhension du message?

Pour évaluer cet aspect, on se souciera moins de la qualité du   **1   2   3   4   5**
dessin que de sa facilité de compréhension.

5. Le texte de la lettre d'accompagnement
a) se comprend facilement;   **1   2   3   4   5**
b) compte peu d'erreurs orthographiques;   **1   2   3   4   5**
c) contient des phrases complètes et acceptables en français.   **1   2   3   4   5**
(Ne s'applique pas dans le cas de l'affiche.)

6. Résultat global

Pour calculer la note, on fait la moyenne des résultats obtenus pour chacun des points précédents, à l'aide du tableau de conversion suivant:

1	0 à 19%;
2	20 à 39%;
3	40 à 59%;
4	60 à 79%;
5	80 à 100%.

Homophones

Doit-on écrire sans ou s'en?

1. Observation

Observez attentivement les mots en caractères gras dans ces deux séries de phrases.

Première série

Il réussissait toujours **sans** difficulté.
Il terminera ce travail **sans** votre aide.
Il ne pourrait réussir **sans** peine.
Sans son appui, il ne peut réussir.

Deuxième série

Il **s'en** allait rapidement.
Il **s'en** aperçut.
Il ne **s'en** porterait que mieux.
S'en tient-il à la décision prise?

2. Terminons.

En vous aidant des exemples qui précèdent, utilisez, selon le cas, **sans** ou **s'en.**

a) Même si son père est _____ le sou, il _____ sortira sûrement.

b) _____ votre intervention, mon frère ne _____ serait pas sorti aussi facilement.

c) _____ viennent-ils à l'école _____ leurs livres?

d) Ils _____ aperçurent _____ que j'aie eu à leur rappeler ce que j'avais déjà dit à ce sujet.

e) _____ que vous le sachiez, ils _____ sont fort bien sortis.

204

f) _____ que je le sache, il _____ faisait inutilement.

g) C'est _____ doute à cause de mon frère qu'il_____ est si bien remis.

h) _____ parents,_____ amis, _____ aide extérieure, ce jeune homme_____ tire quand même assez bien.

i) Où _____ vont-ils,_____ surveillance, ces trois jeunes enfants?

3. Substitution

Corrigez les réponses que vous venez de fournir à l'exercice précédent en remplaçant le mot **sans** par l'expression "privé de...". Dans les autres cas, il faut avoir écrit **s'en**.

Faisons quelques essais.

Même si son père est **sans** (privé de) le sou, il **s'en** (je ne pourrais dire: privé de) sortira sûrement.

Sans (privé de) votre intervention, mon frère ne **s'en** (je ne pourrais dire: privé de) serait pas sorti aussi facilement.

4. Vérification

En utilisant un texte que vous avez écrit récemment, corrigez, s'il y a lieu, ces deux mots: sans et s'en.

5. À la découverte de la règle

Achevez les énoncés suivants dans votre cahier. Vous découvrirez ainsi quand il convient d'employer **sans** ou **s'en**.

Quand je peux remplacer **sans** par l'expression _____, ce mot s'écrit ainsi: **sans**.
Ex.: Il est parti **sans** (privé de) ma permission.

Dans tous les autres cas, il s'écrit_____sauf dans je **sens**, tu **sens**, il **sent** et **sang** (sanguin, sanguinaire).
Ex.: Il **sent** que le **sang** coulera bientôt. Il décida alors de **s'en** aller chez lui à toute vitesse.

Chapitre 27

Le fait divers

Voici le texte qu'un journaliste a rédigé à l'aide du rapport d'accident que lui a remis la Sûreté du Québec.

Il semble cependant que le préposé à la mise en pages ait invontairement changé l'ordre des paragraphes. Pourriez-vous les disposer correctement de façon que le texte se lise plus facilement?

Encore un conducteur imprudent

Au dire du conducteur, il venait à peine de quitter un groupe d'amis à Drummond-ville pour se rendre chez lui quand son automobile dérapa quelque peu. Cependant, quand on connaît le piteux état dans lequel se trouvent les accotements, l'accident était inévitable. L'auto percuta un ponceau pour s'immobiliser au fond d'un ravin et y demeurer jusqu'à l'arrivée des policiers.

Heureusement, le jeune conducteur portait sa ceinture de sécurité, ce qui lui a sans doute sauvé la vie.

Le jeune homme, qui démontra un courage peu commun, souffrait d'une fracture à une jambe et d'une autre à la clavicule.

Dans la nuit de vendredi à samedi, un jeune homme de Saint-Guillaume est demeuré emprisonné dans sa voiture pendant trois à quatre heures, sur la route 122, avant que les policiers aient réussi à le trouver.

L'agent Castonguay de la Sûreté du Québec a dû passer à maintes reprises sur la route avant de l'apercevoir.

Compréhension du message

1. Qu'est-ce qu'un fait divers?

2. Quel est le but de l'auteur en écrivant ce texte?
a) Veut-il nous informer au sujet de cet accident?
b) Veut-il nous convaincre de la nécessité d'être prudent en automobile?
c) Veut-il nous donner un exemple de courage et de résistance physique?
d) Veut-il tout simplement nous divertir?
e) Ou encore nous démontrer l'importance du port de la ceinture de sécurité?

3. Quel est le paragraphe qui constitue, selon vous, l'introduction?
Justifiez votre réponse.
Habituellement, quelles informations trouve-t-on dans ce paragraphe? Si vous ne désirez pas obtenir tous les détails de l'accident, la seule lecture de l'introduction vous semble-t-elle suffisante?

4. Quel paragraphe forme la conclusion? Justifiez votre réponse.

5. Quel(s) paragraphe(s) constitue(nt) le développement (ou la partie centrale) du texte? Qu'y trouve-t-on?
Montrez, à l'aide du texte, que le développement (ou la partie centrale) est la partie qui précise les informations dèjà présentées dans l'introduction.

6. Si vous deviez changer le titre de cet article de journal, lequel choisiriez-vous parmi les suivants, compte tenu de votre but?

But de l'auteur	**Choix du titre**
A) pour inciter les lecteurs à lire votre texte?	a) La 122, toujours aussi dangereuse
B) pour démontrer que les jeunes conduisent imprudemment?	b) Il attend quatre heures avant d'être secouru
C) pour rappeler qu'il faut se méfier de la route 122?	c) Sa ceinture lui aurait sauvé la vie
D) pour montrer le courage et la résistance physique du conducteur?	d) Encore un jeune conducteur imprudent
E) pour montrer l'importance du port de la ceinture de sécurité?	e) Au Québec, on s'attache!

Entraînement à l'expression

1. **Voici le paragraphe d'introduction**. Sans changer les mots, mais en vous limitant à déplacer les groupes fonctionnels, récrivez-le en tenant compte des contraintes proposées.

Dans la nuit de vendredi à samedi, un jeune homme de Saint-Guillaume est demeuré emprisonné dans sa voiture pendant trois à quatre heures, sur la route 122, avant que les policiers aient réussi à le trouver.

a) Votre phrase doit commencer par "Un jeune homme..."

b) Votre phrase doit commencer par "Sur la route 122, ..."

c) Votre phrase doit commencer par "Avant que les policiers n'aient réussi à le trouver..."

d) Votre phrase doit commencer par "Dans la nuit de vendredi à samedi, sur la route 122, ..."

e) Votre phrase doit commencer par "Est demeuré emprisonné..."
Cette phrase vous semble-t-elle acceptable en français?
Dites pourquoi.

2. **Voici le paragraphe de conclusion.**

Heureusement, le jeune **conducteur** portait sa ceinture de sécurité; ce qui lui a **sans doute** sauvé la vie.

a) Remplacez les éléments en caractères gras par un mot ou une expression synonyme.
b) En supprimant le mot **heureusement**, complétez la phrase suivante: C'est sans doute parce qu'il...

c) En supprimant la proposition qui se trouve après le point virgule, récrivez la première partie. Que remarquez-vous en ce qui concerne le signe de ponctuation qui doit apparaître à la fin de la phrase?

d) Laquelle des trois phrases précédentes (a, b ou c) préférez-vous?
Pourquoi?

3. De l'ensemble du texte, vous voulez supprimer les informations suivantes:

a) le numéro de la route;

b) le nom de l'agent de la Sûreté et le rôle qu'il a joué;

c) le courage inhabituel du jeune homme;

d) le fait qu'il venait de quitter un groupe d'amis à Drummondville.
Récrivez-le en tentant d'indiquer ce qui différencie les deux textes.

4. Par rapport à la phrase dans laquelle ils sont employés, expliquez pourquoi les mots en caractères gras sont nécessaires ou utiles. Vous indiquerez si le mot ou le groupe est nécessaire (n) ou tout simplement utile (u).

a) Dans la nuit **de vendredi à samedi**

b) un **jeune** homme de **Saint-Guillaume**

c) **pendant trois à quatre heures**

d) sur la route **122**

e) **avant que les policiers aient réussi à le trouver**

f) **de la Sûreté du Québec**

g) **à maintes reprises**

h) **qui démontra un courage peu commun**

i) souffrait d'une fracture **à une jambe**

j) il venait **à peine**

k) de quitter **un groupe d'amis à** Drummondville

l) dérapa **quelque peu**

m) le **piteux** état des accotements

n) **et y demeurer jusqu'à l'arrivée des policiers**

o) **heureusement**

p) ce qui lui a **sans doute** sauvé la vie

5. Le texte présenté au départ a été écrit pour un hebdomadaire local de la région de Drummondville.

Mais si cet article avait dû paraître dans un quotidien diffusé à l'échelle provinciale, quels autres renseignements l'auteur aurait-il pu ajouter pour permettre une meilleure compréhension à un lecteur ne connaissant pas cette région?

Ponctuation

1. Vous rappelez-vous quand il convient d'utiliser la virgule?
D'abord, sans vous reporter au chapitre qui s'y rapporte, essayez de poser les virgules où elles sont nécessaires. Ensuite, vous retrouverez le chapitre où il en est question et vous corrigerez votre texte, s'il y a lieu.

Une piste de course...
Vendredi soir dernier vers 20:10 une terrible collision s'est produite à l'angle des rues Cardin et Maisonneuve.

Un automobiliste M. R. Lemoine domicilié à Verdun roulait à vive allure lorsque le feu de circulation passa soudainement du vert au jaune. Le conducteur âgé de 47 ans ne put appliquer les freins à temps et une autre voiture propriété de Madame Jacques Fournier vint heurter de plein fouet le véhicule de M. Lemoine une Buick de modèle récent.

Lors de cette collision Madame Fournier sa fille Danielle son fils Michel et un ami de ce dernier ont subi de graves blessures.

Aux dernières nouvelles leur état de santé n'inspirait cependant aucune crainte.

2. Composez quelques phrases où vous introduirez les trois cas d'utilisation de la virgule. Vous les soumettrez ensuite à votre voisin qui procédera, s'il y a lieu, à leur correction à l'aide de son livre.

Conjugaison

1. Identification

Lisez ces phrases et remarquez la finale de chacune des séries.

1re série	**2e** série	**3e** série
Le jeune homme **demeura** dans sa voiture.	Le policier **réussit** enfin à identifier l'homme.	L'homme **souffrit** atrocement.
L'agent Castonguay **passa** à plusieurs reprises.	L'homme **périt** quand sa voiture plongea dans le ravin.	Le conducteur **vint** à perdre courage.
Le jeune homme **démontra** un courage peu commun.	L'homme **gravit** péniblement le fossé.	La remorque **conduisit** la voiture au garage.
L'automobiliste **dérapa** quelque peu.	Sa peur **grandit** lorsqu'il remarqua que sa jambe était cassée.	L'accident **fut** inévitable.
La voiture **percuta** un ponceau.	Le blessé **pâtit** terriblement.	L'homme **revint** de ses émotions à l'arrivée des policiers.

2. Observation

1re série	**2e** série	**3e** série
Quel est le sujet de chacune de ces cinq phrases?	Quel est le sujet de chacune de ces cinq phrases?	Quel est le sujet de chacune de ces cinq phrases?

212

Par quel pronom de conjugaison (je, tu, il/elle, nous, vous, ils/elles) pourriez-vous remplacer chacun de ces sujets?

Comment se terminent ces verbes à l'infinitif?

À quel groupe appartiennent-ils?

Que remarquez-vous en ce qui concerne la façon d'écrire la finale de ces verbes?

Par quel pronom de conjugaison (je, tu, il/elle, nous, vous, ils/elles) pourriez-vous remplacer chacun de ces sujets?

Comment se terminent ces verbes à l'infinitif?

À quel groupe appartiennent-ils?

Que remarquez-vous en ce qui concerne la façon d'écrire la finale de ces verbes?

Par quel pronom de conjugaison (je, tu, il/elle, nous, vous, ils/elles) pourriez-vous remplacer chacun de ces sujets?

Comment se terminent ces verbes à l'infinitif?

À quel groupe appartiennent-ils?

Que remarquez-vous en ce qui concerne la façon d'écrire la finale de ces verbes?

3. Vérification

1re série
Les verbes du 1er groupe se terminent-ils toujours par ''a'' à la 3e personne du singulier?

Faites-en la vérification à l'aide d'une dizaine de verbes que vous introduirez dans la phrase suivante:

L'homme _____ à son arrivée à la maison.

2e série
Les verbes du 2e groupe (ir → issant) se terminent-ils toujours par "t" à la 3e personne du singulier?

Faites-en la vérification à l'aide de quelques verbes que vous introduirez dans la phrase suivante:

Dès son arrivée, le policier_____ le travail de sauvetage.

3e série
Les verbes du 3e groupe se terminent-ils toujours par "t" à la 3e personne du singulier?

Faites-en la vérification à l'aide de quelques verbes que vous introduirez dans la phrase suivante:

On _____ rapidement sur place.

4. Application

Nous avons identifié sur quelques copies d'élèves un certain nombre d'erreurs au

sujet de l'emploi de ce temps: le passé simple, quand il est utilisé à la 3ᵉ personne du singulier.

Voici quelques exemples que nous avons relevés.
Pourriez-vous, en vous aidant des règles que vous venez de lire, corriger ces erreurs?
Vous tenterez enfin de dire pourquoi ces élèves ont commis de telles erreurs.

a) Il mangea puis il **revena** aussitôt à l'école.

b) Dès son arrivée, on lui **demandit** de transporter de grosses boîtes.

c) Quand il **arrivit** chez lui, ses parents venaient de partir pour le cinéma.

d) L'homme **souffra** quelques instants avant d'être secouru.

e) La femme nous **serva** et nous repartîmes aussitôt.

f) L'homme **écriva** un billet et le laissa sur la table.

g) Le garçon **se renda** à la grange et **trouvit** le cheval blessé.

h) Il cria à son père et celui-ci **arrivit** tout de suite.

i) Le père **conduisa** l'animal chez le vétérinaire dans sa camionnette.

j) Mon père **craigna** pour la vie du cheval mais le vétérinaire le rassura.

En utilisant des verbes des trois groupes des échelons 16, 17 et 18, rédigez quelques phrases à la 3ᵉ personne du singulier du passé simple. Vos phrases ne devront pas commencer par les pronoms **il** ou **elle** mais vous les utiliserez comme moyens de vérification en les substituant aux groupes-sujets.
Ex.: La jeune fille revint aussitôt.
        (Elle)   revint aussitôt.

Écrivez correctement les verbes dans les textes suivants.

Une écharde

En coupant du bois, l'homme (s'enfoncer) une écharde et, devant le panaris qui (commencer), il (essayer) sans succès une pommade au saindoux, au jaune d'oeuf et au bulbe de lis. Il (décider) alors d'aller chez le cordonnier se faire mettre, en guise de pansement, une couche de poix. Malheureusement, la résine avait favorisé

214

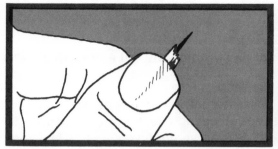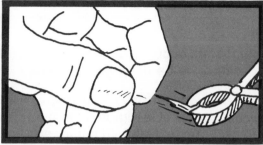

l'infection. Avec une pince et des ciseaux, le cordonnier (débarrasser) le pouce de sa coque. Il était temps. Soulagé, l'homme (retourner) à la maison quelques minutes plus tard.

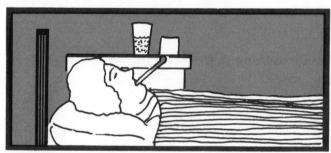

Une vilaine grippe

C' (être) simplement une grippe consécutive à un brusque refroidissement mais si maligne que, durant trois jours, Denis (demeurer) dans une sorte d'hébétude. Immobile sous ses couvertures, il ne (penser) à rien, ne buvant que des tisanes et les remèdes que le docteur (ordonner). Puis, presque d'un seul coup, sous l'action des antibiotiques, la fièvre (battre) en retraite. L'enfant (retrouver) sa lucidité... Il (penser) à ses parents, à sa mère surtout. Si elle le (savoir) malade, elle (devoir) beaucoup s'inquiéter.

Reprenez un texte que vous avez rédigé récemment. Corrigez, s'il y a lieu, le mauvais emploi du passé simple.

5. Résumé

À la 3ᵉ personne du singulier, au passé simple, les verbes
-- du 1ᵉʳ groupe se terminent par ''a'' (**ex.:** il travail**a**);
- des 2ᵉ et 3ᵉ groupes se terminent par ''t'' (**ex.:** il finit; il revint).

Expression

Supposons ceci: votre frère était au volant de l'automobile qui a dérapé et était accompagné de deux de ses amis.

Racontez, sous forme de lettre que vous adressez à un(e) ami(e) qui connaît bien les occupants et la région, comment s'est produit cet accident. Vous aurez soin de rédiger votre texte sur du papier non ligné et de le présenter en respectant la dispotion particulière à ce genre de texte.

Évaluation

Avant de commencer le récit de cet événement, préparez en commun une grille d'évaluation qui servira à apprécier la qualité de votre texte.

216

Chapitre 28

Une campagne de...

Voici quelques affiches préparées par des élèves de votre âge que nous avons découvertes sur les murs intérieurs d'une école de la région de Québec.

Compréhension du message

1. Que veulent nous faire comprendre les auteurs de ces trois affiches?

2. Pour faire passer son message, quel moyen prend:

a) le premier auteur?

b) le deuxième?

c) le troisième?

3. Avez-vous compris, immédiatement en les voyant, ce que signifie chacune de ces affiches?

4. Croyez-vous que les élèves qui les ont préparées ont tenu compte de la capacité de compréhension des personnes à qui elles s'adressaient? Quelle donnée vous manque-t-il pour répondre de façon précise à cette dernière question?

5. Pourriez-vous décrire brièvement ce que nous présente la première affiche? Pourriez-vous terminer la phrase qui suit en ayant soin de faire rimer les deux finales.

>   **"Je suis au paradis**
>   ...   **"**

6. Décrivez en une phrase ce que vous voyez sur la deuxième affiche.
Terminez la formule. Si vous le pouvez, essayez de former un groupe de quatre vers (quatrain) que vous ferez rimer deux à deux.

7. Dites ce que signifie la troisième affiche.
Terminez la formule en ayant soin de faire rimer ce qui suivra les points de suspension avec le mot "pollu**tion**".

8. Après avoir répondu aux trois questions précédentes, pourriez-vous dire ce que signifie l'expression: Une image vaut mille mots?

9. Selon vous, pourquoi la publicité utilise-t-elle abondamment l'image?

10. Que signifie le titre que nous avons donné à ce chapitre?
Pourriez-vous le compléter en vous aidant des trois illustrations?

Entraînement à l'expression

Relevez dans les journaux et les revues, ou encore à la radio et à la télévision, quelques brèves formules publicitaires. Vous indiquerez, pour chacune d'elles, l'intention de l'auteur. Ensuite, après les avoir étudiées attentivement, vous indiquerez le(s) moyen(s) utilisé(s) par les auteurs pour "faire passer" leurs messages.

Ex.: Qui veut voyager l**oin**
prend le tr**ain**!

Intention   L'auteur veut inciter les gens à utiliser le train de préférence aux autres moyens de transport en commun.

Moyen(s)	L'auteur, en faisant rimer loin et train, veut créer chez celui qui lit ou entend ce slogan (formule publicitaire) une association de mots et de sonorités: loin → train. L'auteur espère ainsi que le voyageur se rappellera cette association lors de ses prochains déplacements et qu'il choisira le train. De plus, le point d'exclamation qui se trouve à la fin a le sens de "Voyons donc". L'auteur veut ainsi nous montrer que l'on pécherait contre le bon sens élémentaire en utilisant un autre moyen de transport.

Après avoir retenu une formule publicitaire de leur choix, quelques élèves seront invités par le professeur à l'expliquer au groupe selon la méthode que nous venons de proposer en exemple.

Après chacune des présentations, le groupe évaluera:

a) l'habileté du présentateur à exprimer clairement l'intention de l'auteur de la formule publicitaire;

b) l'habileté du présentateur à identifier et à expliquer le (ou les) moyen(s) employé(s) par l'auteur pour "faire passer" son message.

Expression

Sur un thème que la classe aura déterminé, ou encore sur un sujet de votre choix, préparez une affiche selon les étapes suivantes:

a) choix d'un sujet ou d'un thème précis;

b) découverte de l'intention (voir exemple);

c) explication du (ou des) moyen(s) employé(s) pour "faire passer" votre message;

d) dessin de l'affiche;

e) rédaction de la formule publicitaire qui doit être brève (pour n'ajouter que ce qu'il faut au dessin).
N.B.   Si votre texte est trop long, c'est que votre dessin "ne parle pas suffisamment"!

Évaluation

Lorsque votre travail sera terminé, vous indiquerez à l'endos de la feuille (ou du morceau de carton) utilisée pour faire votre affiche les réponses aux étapes a, b et c du tableau qui précède.

Enfin, vous afficherez votre création. Le groupe devra pouvoir identifier, sans votre aide:

a) le message que vous avez voulu présenter;

b) l'intention que vous nourrissez

c) le (ou les) moyen(s) que vous avez employé(s) pour faire comprendre votre message.

Lorsque le groupe aura répondu à ces trois questions, vous tournerez votre affiche. Vous saurez ainsi si votre message a été compris par ceux à qui il s'adressait. Cette dernière étape constitue vraiment un test d'évaluation.

Pourriez-vous expliquer ce que signifie cette dernière phrase?

Prolongement

Les meilleures affiches pourraient être exposées en un endroit approprié. Vous discuterez avec votre professeur de ce sujet.

Echelle D-B

Échelon 1
maison
rue
porte
papa

Échelon 2
avec
deux
terre

Échelon 3
pour
maman
table
été
pipe

Échelon 4
école
jardin
mal

Échelon 5
tête
nature
livre
rouge
carte
vache
cheminée
sucre
bébé

Échelon 6

revenir
matin
classe
soir
feu
robe
vendredi
lion
rive
barbe
vigne
tuer
achat

Échelon 7
lui
sur
homme
soleil
femme
triste
route
chat
jeudi
lapin
lundi

poste
plante
brique
facteur
mars
moulin
poire
branche
fermier

Échelon 8
pouvoir
devoir (n. et v.)
enfant
même
arbre
mort
chemin
fête
église
ordre
culture
cheval
rire
autour

niche
propre
sage
plume
soupe
bouche
avenir
arme
retenir
mardi
solide
louer
image
moustache
aube
animal
brave
étude
poupée

Échelon 9

pauvre
famille
fille
devenir

lit
midi
chambre
suite
journal
bonne (n.)
douleur
café
pomme
chaleur
lecture
libre
maladie
ligne
cage
sable
rude
costume
article
fortune
remise
cave
tige
salade
couche

rédaction
marque
chanteur
carton
foudre
morne
tasse
mère
marche
croix
relire
année
retour
riche
marbre
plus
droite (n.)
premier
charme
aviateur
voiture
écriture
coeur
proverbe
os
octobre

Échelon 10

dans
bon
vie
malade
neige
sol
peur
vue
boire
contenir
chasse
reste
prince
fleuve
acte
conduite
futur
coucou
visiteur
moine
ruche
cabine
chevelure
voleur
bois
toucher
chasseur
compagnon
chercher
réunir
miracle
bord
matière
journée
personne
ronde
visite
courage

coude
astre
semaine
blé
gros
élève
sortie
établir
tartine
entre
froid
confiture
fabrique
survenir
mariage
faute
visage
mineur
fortement
juste
monde
convenir
regarder
oeuf
artiste
sec
étable
musique
pénible
orange
chemise

Échelon 11

comme
chien
contre
bonjour
nuage
cloche
poche
piste
ramage
liste
crime
roi
tout
balle
jouer
village
calcul
père
couleur
revue
large
armoire
lire (v.)
lait
charbon
voici
matinée
ville
sorte
figure
coupe
planche
rage
tous
reine
ferme
chanson
dictée

tarte
remarque
rose
usine
agréable
double
oncle
bouton
mouton
ardeur
sac
nain
prison
belge
salutation
plumier
grand
reproche
parent
charge
perle
usage
vapeur
diable
bordure
singe
produire
statue
cahier
cuivre
revoir
coin
meuble
fromage
directeur

Échelon 12

parvenir
demain
poule
vaste
charitable
redevenir
fauve
patte
larme
rat
véritable
ange
tourner
maître
sabot
fleur
rien
donc
bleu
chantre
trois
écharpe
liquide
rendre
nid
mot
malin
murmurer
épine
force
fer
lièvre
toile
risque
rare
joue
loup
pardon

mode
fois
vif
regard
odeur
chapeau
idée
vase
tenue
coupable
canon
perche
murmure
finir
fruit
bille
pluie
dent
contenu
signe
moteur
lettre
soldat
vente
chaque
entier
brume
prendre
dormir
tombe
valeur
vite
aveugle
lac
madame
dessin
garde
magique

profondeur
partie
sel
corde
victoire
lueur
campagne
linge
cadre
sueur
créature
victime
volume
poudre
pondre
punir
entretenir
visible
blancheur
épargne
gauche
parfait
vide
labeur
chef
surprise
timide
barque
moderne
borne
mercredi
blanchir
juillet
autre
dernier
cochon
nuisible
proche

singulier
invisible
papier
écurie
jaune
porteur
bec

Échelon 13

bien	merle	sortir	magnifique	poitrine
petit	jardinier	lampe	oreille	fleurette
venir	or	décembre	grenier	corniche
dimanche	crier	verdure	joueur	découverte
amour	étalage	problème	terme	procureur
navire	botte	mélange	esclave	lunette
samedi	foule	tranche	vivre	plage
machine	rivière	minuit	loin	janvier
lune	saint	rosée	tableau	soutenir
bande	fumer	valise	offre	politique
juin	patron	pie	patrie	épreuve
avril	tablier	suivre	herbe	formidable
jour	vendeur	entrée	fée	canal
dire	pied	boucle	fumée	duc
chant	lieu	orage	fondre	trouble
nom	vitre	gloire	spectateur	couverture
beau	redoutable	provenir	preuve	insecte
joli	rencontre	ardoise	caverne	
couper	gris	mauve	confrère	
tour	nez	soeur	multitude	
bise	commune	vent	feuille	
menu	récolte	abeille	sacoche	
bras	clou	chevalier	jouet	
boule	garçon	miel	ministre	
âne	moudre	misérable	superbe	
mémoire	division	chaudement	voisinage	
sous	campagne	rétablir	timbre	
sabre	combien	tortue	grammaire	
marcher	vin	endormir	tigre	
sauvage	poulet	promenade	pratique	
renard	bondir	robuste	boutique	
place	prime	verger	mouvoir	
légume	joie	barquette	voisin	
tulipe	laver	reprise	ouverture	
canard	avion	faire	estrade	
brise	encre	carabine	vitrine	
siège	amateur	nation	plumage	
sombre	dix	haut	serviteur	

Échelon 14

nuit
farine
roue
banque
tache
âme
leçon
cour
inconnu
grave
si
noir
marquer
mois
seul
ouvrage
page
plat
fou
bal
laine
fils
paire
messe
chapelle
rame
doute
pâte
cuisine
sang
comble
eau
vieux
manger
pays
violette
nombre
boulanger

limite
joujou
date
groupe
fort
lis (lys)
mari
bazar
durée
ménagerie
quatre
plonger
nord
avoir (n.)
tricolore
encore
fin
train
peau
ruelle
blouse
long
dame
coton
forgeron
utilité
menteur
jeune
avant
chacun
pur
banc
grandir
fatigue
tirelire
grive
bassin
désagréable

prévoir
aussi
partir
énorme
bataille
perte
tribunal
motif
prière
prairie
titre
douze
conduire
forme
paille
genre
signature
chocolat
muraille
plaque
politesse
savoir
cousin
action
vernir
couvrir
hiver
presque
demande
foin
respiration
avertir
peuple
outre
naturellement.
sport
engager
voyageur

favorable
ouvrier
gerbe
régime
ciel
pratiquer
reprendre
fenêtre
écolier
fidèle
compliment
soulagement
vendre
boue
union
matinal
relatif
docteur
cadavre
réduire
clochette
tordre
adroit
intervenir
voir
multiple
production
souvenir
pointe
mouvement
laboureur
protecteur
coudre
convenable
hier
monstre
escalier
boulangerie

écrire
instituteur
corbeille
jouir
industrie
serviable
inspecteur

oui	postal	parole	vivement
montagne	série	pupitre	capitaine
montre	mai	rarement	mine
mouche	obliger	périr	commun
grandeur	repas	pitié	proprement
ombrage	ligue	coutume	miette
lever	plaisir	brusque	mer
dieu	bureau	journalier	pot
salle	course	gare	gibier
oiseau	comparer	mirer	onde
mur	salon	armée	lot
échapper	heure	forge	affaiblir
doux	depuis	pendant	pourquoi
réponse	pierre	tante	coq
four	pompe	tram (way)	réunion
soie	puis	panier	langue
racine	devant	éternel	corne
vert	moineau	poésie	croire
lutte	échelle	car	tombeau
bourse	migrateur	garnir	entrevoir
calculer	encrier	compagnie	balcon
partout	dépenser	troupe	jusque
nul	tomber	religion	utile
sud	ici	étrange	liberté
chose	esprit	trésor	cirque
mais	pendre	sacré	écluse
bonheur	point	douloureux	carnet
trou	surtout	minute	perdre
livrer	répondre	rocher	demi
volée	charité	sapin	wagon
franc (n.)	éclat	mortel	traverser
frère	étoile	tabac	parcourir
moment	cuire	gras	proposition
franc (adj.)	juge	quelque	jambe
lumière	villa	blanc	besogne
poisson	unique	enfin	fournir
bain	rentrer	aile	vitesse
nappe	raison	métier	gamin

air	agent	gardien	mouchoir
puisque	noble	cinq	fauvette
camion	justement	bouquet	tenir
suave	inscrire	tristement	indigne
brochure	satin	produit	merveille
sot	pourvoir	mademoiselle	directement
vierge	contribuer	revivre	fontaine
corbeau	domestique	piété	instrument
munir	ensuite	taille	toit
entreprendre	grenouille	fuite	billet
destination	confondre	saison	
faveur	objet	locomotive	

Échelon 16

misère
péniblement
lilas
sonner
note
ami
prix
tente
continuer
pêcher
lécher
mont
cause
tapis
mousse
curé
boisson
cabane
part
bas
marché
bêche
tapage
nouveau
marchand
cou
avaler
parler
passé
courir
loi
basse (n.)
somme
âge
enfermer
pendule
étudiant
divin

guide
porc
reculer
sauver
voile
crise
étendue
coureur
neuf
bonté
ménager
mentir
injure
local (n.)
garniture
peine
chaud
ménage
avouer
ours
chameau
rigole
comment
cacher
étage
glace
modèle
grue
poutre
refuge
jardinage
pantalon
désireux
romain
travail
travailler
côté
possible

songer
dévouement
avenue
sonore
servir
silence
musée
promesse
plaie
chaumière
monter
retrouver
tel
merci
couler
quarante
rougir
prise
renouveau
inférieur
cantique
gorge
volonté
port
allée
envie
parfaitement
épaule
aliment
aimer
quoi
soirée
cortège
caisse
électrique
dangereux
vague
infirme

ouvrir
pensée
amusement
tendrement
poursuite
ronger
huit
particulier
berger
marteau
jamais
prochain
suivant
dos
méchant
voltiger
gelée
s'évanouir
découvrir
invitation
morceau
cadeau
net
clairon
canif
pièce
parfum
sujet
choisir
espoir
rapidement
aboutir
voyage
mesure
prévenir
modeste
lèvre
paquet

jugement
époque
capable
intime
minuscule
remettre
simple
viande
gratitude
représentation
sagement
bénédiction
réserve
farouche
émouvoir

panache
travailleur
changement
récréation
bouteille
soif
raisin
trimestre
préparation
rapide
drapeau
ornement
muscle
hirondelle
marchandise

admirable
surface
réfléchir
foire
désordre
fixe
rustique
boeuf
veston
également
relativement
mordre
yeux
jeunesse
explication

mélodie
demoiselle
secourir
spectacle
infirmier
fonction
souper
menuisier
perfection
faucheur
digne
promeneur
cultivateur
septembre
calme

Échelon 17

pain
gravure
capital
conte
pâle
moyen
sourd
bonbon
clocher
cher
chute
dedans
dévouer
bête
morale
riz
trouver
pas (n.)
coucher
visiter
répartir
beurre
brebis
ton (n.)
lisse
ivre
avis
briser
unir
fier (adj.)
poli
carré
repentir
souvent
ombre
danger
rêve
souverain

mille
guerre
souris
chaume
étudier
lourd
semer
pont
fendre
normal
peuplier
vivant
soupir
natal
ruban
joyeux
acheter
écouter
fatiguer
sauter
valoir
rouler
plaine
charmer
taire
redire
pâtre
grain
témoin
police
propreté
domicile
mobile
colorer
aller
punition
chanter
pleurer

inutile
habitation
ravir
grossir
illustre
équipage
métal
oeuvre
situation
hauteur
numéro
auteur
nager
jurer
recourir
solitude
sinistre
gosse
dont
mener
parc
remonter
drap
diviser
tonneau
lorsque
comprendre
présent (adj.)
brun
heureusement
fusil
client
savant
griffe
prudence
soulier
vertu
médaille

pinson
pelage
dette
fourneau
poumon
piano
bientôt
approcher
ajouter
militaire
pointu
ruine
étoffe
mécanique
cristal
touffe
horloge
médecin
luire
estime
bavarder
portée
brutal
remplir
respectueux
chaise
début
rosier
ravin
meule
détruire
enfance
personnage
muet
centime
multicolore
plateau
bougie

ventre
averse
savon
encourir
déplaire
violet
entendre
service
sobre
repos
respecter
lier
dépendre
huile
duvet
renouvellement
manque
fureur
plaire
veille
démarche
régiment
escalader
après (et d')
parfois
tendre (adj.)
aide
sacrifice
servante
tournée
introduction
cercle
palais
fabriquer
oie
région
profondément
agréablement
rayon

copier
courageusement
sentir
consolation
propriété
moindre
secret
actif
valet
terreur
bruit
lendemain
énergie
recherche
construction
détester
réjouir
terrible
bref
osier
laitier
tailleur
insigne
pelouse
poignée
tranformation
aucun
droit (adj.)
richesse
louange
refrain
parquet
largement
chagrin
modestie
adieu
désigner
continuellement
crépuscule

onze
novembre
purifier
gravement
soulager
fourniture
instruction
ingratitude
mauvais
direction
lugubre
paysage
soigneusement
géographie
panorama
tendresse
sagesse
distribution
vouloir
conversation
cartable
haie
seigneur

vol	tirer	déborder	signal
jeu	disposition	maternel	délivrer
vôtre	crainte	galerie	angle
mare	salir	gravir	bagage
veau	heureux	attaque	gazon
temps	pourtant	montrer	peintre
redouter	forger	garder	renoncule
coup	environ	besoin	prétendre
chapitre	consoler	obéir	tentation
arracher	ardent	roulotte	replier
rideau	moisson	distrait	seau
neiger	avantage	rester	quand
hache	tricot	santé	soudain
ruiner	sacrement	cent	soigner
qualité	six	constater	congé
vider	retentir	aise	rechercher
tas	monument	chaussure	curieux
trop	maigre	agile	volet
vallée	délicat	arbitre	femelle
peinture	cultiver	faucher	lin
mettre	créateur	histoire	puissant
sans	redoubler	faible	rentrée
battre	bonsoir	facile	détour
troupeau	boucher (v. et n.)	relation	dénudé
papillon	charbonnage	économie	grange
côte	graver	maintenir	principe
infini	content	soulever	généralement
irriter	éclater	couteau	soupirer
former	paix	mélanger	ravage
état	mètre	beaucoup	soin
trente	partager	diriger	source
aventure	réparer	douceur	contrée
planter	chauffeur	regagner	classique
saluer	ramener	ordinaire	bloc
s'envoler	étroit	zèle	noyer (n. et v.)
gronder	cinéma	riant	indication
danse	subir	douter	défenseur
broyer	être (n.)	justice	contraire

endroit

position

finalement

préparatif

prier

chaussée

urgent

jambon

celui-ci

celle-ci

aimable

cerisier

tempête

distraction

présenter

exprimer

complet

parapluie

secouer

bienfait

considérable

noisette

fuir

cadet

élégant

souple

automobile

poursuivre

amicalement

craquement

ceux

apprendre

généreux

particulièrement

épanouir

puissance

cuisinière

malheureux

tristesse

rapidité

honte

circulation

autrefois

éblouir

désolation

pourpre

jaunir

subitement

station

argent

friandise

autrement

prospérité

simplement

instructif

brusquement

cigarette

satisfaction

cinquante

destinée

nouvelle

conviction

vigoureux

sacrifier

acheteur

protection

arbuste

bienfaiteur

auberge

satisfait

dentelle

couvercle

princesse

bosquet

royaume

probablement

terrain

architecte

exposition

Tableaux de conjugaisons

VERBE AVOIR

MODE INDICATIF

Présent

j'	ai
tu	as
il	a
nous	avons
vous	avez
ils	ont

Imparfait

j'	avais
tu	avais
il	avait
nous	avions
vous	aviez
ils	avaient

Passé simple

j'	eus
tu	eus
il	eut
nous	eûmes
vous	eûtes
ils	eurent

Futur simple

j'	aurai
tu	auras
il	aura
nous	aurons
vous	aurez
ils	auront

Passé composé

j'	ai	eu
tu	as	eu
il	a	eu
nous	avons	eu
vous	avez	eu
ils	ont	eu

Plus-que-parfait

j'	avais	eu
tu	avais	eu
il	avait	eu
nous	avions	eu
vous	aviez	eu
ils	avaient	eu

Passé antérieur

j'	eus	eu
tu	eus	eu
il	eut	eu
nous	eûmes	eu
vous	eûtes	eu
ils	eurent	eu

Futur antérieur

j'	aurai	eu
tu	auras	eu
il	aura	eu
nous	aurons	eu
vous	aurez	eu
ils	auront	eu

MODE SUBJONCTIF

Présent

que	j'	aie
que	tu	aies
qu'	il	ait
que nous		ayons
que vous		ayez
qu'	ils	aient

Imparfait

que	j'	eusse
que	tu	eusses
qu'	il	eût
que nous		eussions
que vous		eussiez
qu'	ils	eussent

Passé

que	j'	aie	eu
que	tu	aies	eu
qu'	il	ait	eu
que nous		ayons	eu
que vous		ayez	eu
qu'	ils	aient	eu

Plus-que-parfait

que	j'	eusse	eu
que	tu	eusses	eu
qu'	il	eût	eu
que nous		eussions	eu
que vous		eussiez	eu
qu'	ils	eussent	eu

MODE CONDITIONNEL

Présent

j'	aurais
tu	aurais
il	aurait
nous	aurions
vous	auriez
ils	auraient

Passé 1re forme

j'	aurais	eu
tu	aurais	eu
il	aurait	eu
nous	aurions	eu
vous	auriez	eu
ils	auraient	eu

Passé 2e forme

j'	eusse	eu
tu	eusses	eu
il	eût	eu
nous	eussions	eu
vous	eussiez	eu
ils	eussent	eu

MODE IMPÉRATIF

Présent

aie
ayons
ayez

Passé (peu usité)

aie	eu
ayons	eu
ayez	eu

INFINITIF

Présent: avoir

Passé: avoir eu

PARTICIPE

Présent: ayant

Passé: eu (e)

        ayant   eu

VERBE ÊTRE

MODE INDICATIF

Présent

je suis
tu es
il est
nous sommes
vous êtes
ils sont

Imparfait

j' étais
tu étais
il était
nous étions
vous étiez
ils étaient

Passé simple

je fus
tu fus
il fut
nous fûmes
vous fûtes
ils furent

Futur simple

je serai
tu seras
il sera
nous serons
vous serez
ils seront

Passé composé

j' ai été
tu as été
il a été
nous avons été
vous avez été
ils ont été

Plus-que-parfait

j' avais été
tu avais été
il avait été
nous avions été
vous aviez été
ils avaient été

Passé antérieur

j' eus été
tu eus été
il eut été
nous eûmes été
vous eûtes été
ils eurent été

Futur antérieur

j' aurai été
tu auras été
il aura été
nous aurons été
vous aurez été
ils auront été

MODE SUBJONCTIF

Présent

que je sois
que tu sois
qu' il soit
que nous soyons
que vous soyez
qu' ils soient

Imparfait

que je fusse
que tu fusses
qu' il fût
que nous fussions
que vous fussiez
qu' ils fussent

Passé

que j' aie été
que tu aies été
qu' il ait été
que nous ayons été
que vous ayez été
qu' ils aient été

Plus-que-parfait

que j' eusse été
que tu eusses été
qu' il eût été
que nous eussions été
que vous eussiez été
qu' ils eussent été

MODE CONDITIONNEL

Présent

je serais
tu serais
il serait
nous serions
vous seriez
ils seraient

Passé 1re forme

j' aurais été
tu aurais été
il aurait été
nous aurions été
vous auriez été
ils auraient été

Passé 2e forme

j' eusse été
tu eusses été
il eût été
nous eussions été
vous eussiez été
ils eussent été

MODE IMPÉRATIF

Présent   Passé
                    (peu usité)

sois   aie été
soyons   ayons été
soyez   ayez été

INFINITIF

Présent: être

Passé: avoir été

PARTICIPE

Présent: étant

Passé   été
        ayant été

VERBE AIMER

MODE INDICATIF

Présent

j'	aime
tu	aimes
il	aime
nous	aimons
vous	aimez
ils	aiment

Passé composé

j'	ai	aimé
tu	as	aimé
il	a	aimé
nous	avons	aimé
vous	avez	aimé
ils	ont	aimé

Imparfait

j'	aimais
tu	aimais
il	aimait
nous	aimions
vous	aimiez
ils	aimaient

Plus-que-parfait

j'	avais	aimé
tu	avais	aimé
il	avait	aimé
nous	avions	aimé
vous	aviez	aimé
ils	avaient	aimé

Passé simple

j'	aimai
tu	aimas
il	aima
nous	aimâmes
vous	aimâtes
ils	aimèrent

Passé antérieur

j'	eus	aimé
tu	eus	aimé
il	eut	aimé
nous	eûmes	aimé
vous	eûtes	aimé
ils	eurent	aimé

Futur simple

j'	aimerai
tu	aimeras
il	aimera
nous	aimerons
vous	aimerez
ils	aimeront

Futur antérieur

j'	aurai	aimé
tu	auras	aimé
il	aura	aimé
nous	aurons	aimé
vous	aurez	aimé
ils	auront	aimé

MODE SUBJONCTIF

Présent

que	j'	aime
que	tu	aimes
qu'	il	aime
que nous	aimions
que vous	aimiez
qu'	ils	aiment

Imparfait

que	j'	aimasse
que	tu	aimasses
qu'	il	aimât
que nous	aimassions
que vous	aimassiez
qu'	ils	aimassent

Passé

que	j'	aie	aimé
que	tu	aies	aimé
qu'	il	ait	aimé
que nous	ayons	aimé
que vous	ayez	aimé
qu'	ils	aient	aimé

Plus-que-parfait

que	j'	eusse	aimé
que	tu	eusses	aimé
qu'	il	eût	aimé
que nous	eussions	aimé
que vous	eussiez	aimé
qu'	ils	eussent	aimé

MODE CONDITIONNEL

Présent

j'	aimerais
tu	aimerais
il	aimerait
nous	aimerions
vous	aimeriez
ils	aimeraient

Passé 1re forme

j'	aurais	aimé
tu	aurais	aimé
il	aurait	aimé
nous	aurions	aimé
vous	auriez	aimé
ils	auraient	aimé

Passé 2e forme

j'	eusse	aimé
tu	eusses	aimé
il	eût	aimé
nous	eussions	aimé
vous	eussiez	aimé
ils	eussent	aimé

MODE IMPÉRATIF

Présent   Passé

aime	aie	aimé
aimons	ayons	aimé
aimez	ayez	aimé

INFINITIF

Présent: aimer

Passé: avoir aimé

PARTICIPE

Présent: aimant

Passé: aimé (e)

ayant   aimé

VERBE ALLER

MODE INDICATIF

Présent

je vais
tu vas
il va
nous allons
vous allez
ils vont

Imparfait

j' allais
tu allais
il allait
nous allions
vous alliez
ils allaient

Passé simple

j' allai
tu allas
il alla
nous allâmes
vous allâtes
ils allèrent

Futur simple

j' irai
tu iras
il ira
nous irons
vous irez
ils iront

Passé composé

je suis allé
tu es allé
il est allé
nous sommes allés
vous êtes allés
ils sont allés

Plus-que-parfait

j' étais allé
tu étais allé
il était allé
nous étions allés
vous étiez allés
ils étaient allés

Passé antérieur

je fus allé
tu fus allé
il fut allé
nous fûmes allés
vous fûtes allés
ils furent allés

Futur antérieur

je serai allé
tu seras allé
il sera allé
nous serons allés
vous serez allés
ils seront allés

MODE SUBJONCTIF

Présent

que j' aille
que tu ailles
qu' il aille
que nous allions
que vous alliez
qu' ils aillent

Imparfait

que j' allasse
que tu allasses
qu' il allât
que nous allassions
que vous allassiez
qu' ils allassent

Passé

que je sois allé
que tu sois allé
qu' il soit allé
que nous soyons allés
que vous soyez allés
qu' ils soient allés

Plus-que-parfait

que je fusse allé
que tu fusses allé
qu' il fût allé
que nous fussions allés
que vous fussiez allés
qu' ils fussent allés

MODE CONDITIONNEL

Présent

j' irais
tu irais
il irait
nous irions
vous iriez
ils iraient

Passé 1re forme

je serais allé
tu serais allé
il serait allé
nous serions allés
vous seriez allés
ils seraient allés

Passé 2e forme

je fusse allé
tu fusses allé
il fût allé
nous fussions allés
vous fussiez allés
ils fussent allés

MODE IMPÉRATIF

Présent

va
allons
allez

Passé
(peu usité)

sois allé
soyons allés
soyez allés

INFINITIF

Présent: aller

Passé: être allé

PARTICIPE

Présent: allant

Passé: allé (e)
étant allé

VERBE COURIR

MODE INDICATIF

Présent

je	cours
tu	cours
il	court
nous	courons
vous	courez
ils	courent

Imparfait

je	courais
tu	courais
il	courait
nous	courions
vous	couriez
ils	couraient

Passé simple

je	courus
tu	courus
il	courut
nous	courûmes
vous	courûtes
ils	coururent

Futur simple

je	courrai
tu	courras
il	courra
nous	courrons
vous	courrez
ils	courront

Passé composé

j'	ai	couru
tu	as	couru
il	a	couru
nous	avons	couru
vous	avez	couru
ils	ont	couru

Plus-que-parfait

j'	avais	couru
tu	avais	couru
il	avait	couru
nous	avions	couru
vous	aviez	couru
ils	avaient	couru

Passé antérieur

j'	eus	couru
tu	eus	couru
il	eut	couru
nous	eûmes	couru
vous	eûtes	couru
ils	eurent	couru

Futur antérieur

j'	aurai	couru
tu	auras	couru
il	aura	couru
nous	aurons	couru
vous	aurez	couru
ils	auront	couru

MODE SUBJONCTIF

Présent

que	je	coure
que	tu	coures
qu'	il	coure
que nous	courions
que vous	couriez
qu'	ils	courent

Imparfait

que	je	courusse
que	tu	courusses
qu'	il	courût
que nous	courussions
que vous	courussiez
qu'	ils	courussent

Passé

que	j'	aie	couru
que	tu	aies	couru
qu'	il	ait	couru
que nous	ayons	couru
que vous	ayez	couru
qu'	ils	aient	couru

Plus-que-parfait

que	j'	eusse	couru
que	tu	eusses	couru
qu'	il	eût	couru
que nous	eussions	couru
que vous	eussiez	couru
qu'	ils	eussent	couru

MODE CONDITIONNEL

Présent

je	courrais
tu	courrais
il	courrait
nous	courrions
vous	courriez
ils	courraient

Passé 1re forme

j'	aurais	couru
tu	aurais	couru
il	aurait	couru
nous	aurions	couru
vous	auriez	couru
ils	auraient	couru

Passé 2e forme

j'	eusse	couru
tu	eusses	couru
il	eût	couru
nous	eussions	couru
vous	eussiez	couru
ils	eussent	couru

MODE IMPÉRATIF

Présent

cours
courons
courez

Passé

aie	couru
ayons	couru
ayez	couru

INFINITIF

Présent: courir

Passé: avoir couru

PARTICIPE

Présent: courant

Passé: couru, (e)

ayant couru

VERBE FINIR

MODE INDICATIF

Présent

je	finis
tu	finis
il	finit
nous	finissons
vous	finissez
ils	finissent

Imparfait

je	finissais
tu	finissais
il	finissait
nous	finissions
vous	finissiez
ils	finissaient

Passé simple

je	finis
tu	finis
il	finit
nous	finîmes
vous	finîtes
ils	finirent

Futur simple

je	finirai
tu	finiras
il	finira
nous	finirons
vous	finirez
ils	finiront

Passé composé

j'	ai	fini
tu	as	fini
il	a	fini
nous	avons	fini
vous	avez	fini
ils	ont	fini

Plus-que-parfait

j'	avais	fini
tu	avais	fini
il	avait	fini
nous	avions	fini
vous	aviez	fini
ils	avaient	fini

Passé antérieur

j'	eus	fini
tu	eus	fini
il	eut	fini
nous	eûmes	fini
vous	eûtes	fini
ils	eurent	fini

Futur antérieur

j'	aurai	fini
tu	auras	fini
il	aura	fini
nous	aurons	fini
vous	aurez	fini
ils	auront	fini

MODE SUBJONCTIF

Présent

que	je	finisse
que	tu	finisses
qu'	il	finisse
que nous		finissions
que vous		finissiez
qu'	ils	finissent

Imparfait

que	je	finisse
que	tu	finisses
qu'	il	finît
que nous		finissions
que vous		finissiez
qu'	ils	finissent

Passé

que	j'	aie	fini
que	tu	aies	fini
qu'	il	ait	fini
que nous	ayons	fini
que vous	ayez	fini
qu'	ils	aient	fini

Plus-que-parfait

que	j'	eusse	fini
que	tu	eusses	fini
qu'	il	eût	fini
que nous	eussions	fini
que vous	eussiez	fini
qu'	ils	eussent	fini

MODE CONDITIONNEL

Présent

je	finirais
tu	finirais
il	finirait
nous	finirions
vous	finiriez
ils	finiraient

Passé 1re forme

j'	aurais	fini
tu	aurais	fini
il	aurait	fini
nous	aurions	fini
vous	auriez	fini
ils	auraient	fini

Passé 2e forme

j'	eusse	fini
tu	eusses	fini
il	eût	fini
nous	eussions	fini
vous	eussiez	fini
ils	eussent	fini

MODE IMPÉRATIF

Présent / Passé (peu usité)

finis	aie	fini
finissons	ayons	fini
finissez	ayez	fini

INFINITIF

Présent: finir

Passé: avoir fini

PARTICIPE

Présent: finissant

Passé: fini (e)

ayant fini

VERBE DIRE

MODE INDICATIF

Présent
je dis
tu dis
il dit
nous disons
vous dites
ils disent

Passé composé
j' ai dit
tu as dit
il a dit
nous avons dit
vous avez dit
ils ont dit

Imparfait
je disais
tu disais
il disait
nous disions
vous disiez
ils disaient

Plus-que-parfait
j' avais dit
tu avais dit
il avait dit
nous avions dit
vous aviez dit
ils avaient dit

Passé simple
je dis
tu dis
il dit
nous dîmes
vous dîtes
ils dirent

Passé antérieur
j' eus dit
tu eus dit
il eut dit
nous eûmes dit
vous eûtes dit
ils eurent dit

Futur simple
je dirai
tu diras
il dira
nous dirons
vous direz
ils diront

Futur antérieur
j' aurai dit
tu auras dit
il aura dit
nous aurons dit
vous aurez dit
ils auront dit

MODE SUBJONCTIF

Présent
que je dise
que tu dises
qu' il dise
que nous disions
que vous disiez
qu' ils disent

Imparfait
que je disse
que tu disses
qu' il dît
que nous dissions
que vous dissiez
qu' ils dissent

Passé
que j' aie dit
que tu aies dit
qu' il ait dit
que nous ayons dit
que vous ayez dit
qu' ils aient dit

Plus-que-parfait
que j' eusse dit
que tu eusses dit
qu' il eût dit
que nous eussions dit
que vous eussiez dit
qu' ils eussent dit

MODE CONDITIONNEL

Présent
je dirais
tu dirais
il dirait
nous dirions
vous diriez
ils diraient

Passé 1re forme
j' aurais dit
tu aurais dit
il aurait dit
nous aurions dit
vous auriez dit
ils auraient dit

Passé 2e forme
j' eusse dit
tu eusses dit
il eût dit
nous eussions dit
vous eussiez dit
ils eussent dit

MODE IMPÉRATIF

Présent
dis
disons
dites

Passé
aie dit
ayons dit
ayez dit

INFINITIF

Présent: dire

Passé: avoir dit

PARTICIPE

Présent: disant

Passé: dit, (e)
ayant dit

243

VERBE FAIRE

MODE INDICATIF

Présent

je	fais
tu	fais
il	fait
nous	faisons
vous	faites
ils	font

Passé composé

j'	ai	fait
tu	as	fait
il	a	fait
nous	avons	fait
vous	avez	fait
ils	ont	fait

Imparfait

je	faisais
tu	faisais
il	faisait
nous	faisions
vous	faisiez
ils	faisaient

Plus-que-parfait

j'	avais	fait
tu	avais	fait
il	avait	fait
nous	avions	fait
vous	aviez	fait
ils	avaient	fait

Passé simple

je	fis
tu	fis
il	fit
nous	fîmes
vous	fîtes
ils	firent

Passé antérieur

j'	eus	fait
tu	eus	fait
il	eut	fait
nous	eûmes	fait
vous	eûtes	fait
ils	eurent	fait

Futur simple

je	ferai
tu	feras
il	fera
nous	ferons
vous	ferez
ils	feront

Futur antérieur

j'	aurai	fait
tu	auras	fait
il	aura	fait
nous	aurons	fait
vous	aurez	fait
ils	auront	fait

MODE SUBJONCTIF

Présent

que	je	fasse
que	tu	fasses
qu'	il	fasse
que nous		fassions
que vous		fassiez
qu'	ils	fassent

Imparfait

que	je	fisse
que	tu	fisses
qu'	il	fît
que nous		fissions
que vous		fissiez
qu'	ils	fissent

Passé

que	j'	aie	fait
que	tu	aies	fait
qu'	il	ait	fait
que nous		ayons	fait
que vous		ayez	fait
qu'	ils	aient	fait

Plus-que-parfait

que	j'	eusse	fait
que	tu	eusses	fait
qu'	il	eût	fait
que nous		eussions	fait
que vous		eussiez	fait
qu'	ils	eussent	fait

MODE CONDITIONNEL

Présent

je	ferais
tu	ferais
il	ferait
nous	ferions
vous	feriez
ils	feraient

Passé 1re forme

j'	aurais	fait
tu	aurais	fait
il	aurait	fait
nous	aurions	fait
vous	auriez	fait
ils	auraient	fait

Passé 2e forme

j'	eusse	fait
tu	eusses	fait
il	eût	fait
nous	eussions	fait
vous	eussiez	fait
ils	eussent	fait

MODE IMPÉRATIF

Présent

fais
faisons
faites

Passé (peu usité)

aie	fait
ayons	fait
ayez	fait

INFINITIF

Présent: faire

Passé: avoir fait

PARTICIPE

Présent: faisant

Passé: fait (e)

ayant fait

VERBE PRENDRE

MODE INDICATIF

Présent

je	prends
tu	prends
il	prend
nous	prenons
vous	prenez
ils	prennent

Imparfait

je	prenais
tu	prenais
il	prenait
nous	prenions
vous	preniez
ils	prenaient

Passé simple

je	pris
tu	pris
il	prit
nous	prîmes
vous	prîtes
ils	prirent

Futur simple

je	prendrai
tu	prendras
il	prendra
nous	prendrons
vous	prendrez
ils	prendront

Passé composé

j'	ai	pris
tu	as	pris
il	a	pris
nous	avons	pris
vous	avez	pris
ils	ont	pris

Plus-que-parfait

j'	avais	pris
tu	avais	pris
il	avait	pris
nous	avions	pris
vous	aviez	pris
ils	avaient	pris

Passé antérieur

j'	eus	pris
tu	eus	pris
il	eut	pris
nous	eûmes	pris
vous	eûtes	pris
ils	eurent	pris

Futur antérieur

j'	aurai	pris
tu	auras	pris
il	aura	pris
nous	aurons	pris
vous	aurez	pris
ils	auront	pris

MODE SUBJONCTIF

Présent

que	je	prenne
que	tu	prennes
qu'	il	prenne
que	nous	prenions
que	vous	preniez
qu'	ils	prennent

Imparfait

que	je	prisse
que	tu	prisses
qu'	il	prît
que	nous	prissions
que	vous	prissiez
qu'	ils	prissent

Passé

que	j'	aie	pris
que	tu	aies	pris
qu'	il	ait	pris
que	nous	ayons	pris
que	vous	ayez	pris
qu'	ils	aient	pris

Plus-que-parfait

que	j'	eusse	pris
que	tu	eusses	pris
qu'	il	eût	pris
que	nous	eussions	pris
que	vous	eussiez	pris
qu'	ils	eussent	pris

MODE CONDITIONNEL

Présent

je	prendrais
tu	prendrais
il	prendrait
nous	prendrions
vous	prendriez
ils	prendraient

Passé 1re forme

j'	aurais	pris
tu	aurais	pris
il	aurait	pris
nous	aurions	pris
vous	auriez	pris
ils	auraient	pris

Passé 2e forme

j'	eusse	pris
tu	eusses	pris
il	eût	pris
nous	eussions	pris
vous	eussiez	pris
ils	eussent	pris

MODE IMPÉRATIF

Présent   Passé

prends	aie	pris
prenons	ayons	pris
prenez	ayez	pris

INFINITIF

Présent: prendre

Passé: avoir pris

PARTICIPE

Présent: prenant

Passé: pris, (e)

ayant pris

VERBE POUVOIR

MODE INDICATIF

Présent

je	peux
tu	peux
il	peut
nous	pouvons
vous	pouvez
ils	peuvent

Imparfait

je	pouvais
tu	pouvais
il	pouvait
nous	pouvions
vous	pouviez
ils	pouvaient

Passé simple

je	pus
tu	pus
il	put
nous	pûmes
vous	pûtes
ils	purent

Futur simple

je	pourrai
tu	pourras
il	pourra
nous	pourrons
vous	pourrez
ils	pourront

Passé composé

j'	ai	pu
tu	as	pu
il	a	pu
nous	avons	pu
vous	avez	pu
ils	ont	pu

Plus-que-parfait

j'	avais	pu
tu	avais	pu
il	avait	pu
nous	avions	pu
vous	aviez	pu
ils	avaient	pu

Passé antérieur

j'	eus	pu
tu	eus	pu
il	eut	pu
nous	eûmes	pu
vous	eûtes	pu
ils	eurent	pu

Futur antérieur

j'	aurai	pu
tu	auras	pu
il	aura	pu
nous	aurons	pu
vous	aurez	pu
ils	auront	pu

MODE SUBJONCTIF

Présent

que	je	puisse
que	tu	puisses
qu'	il	puisse
que nous		puissions
que vous		puissiez
qu'	ils	puissent

Imparfait

que	je	pusse
que	tu	pusses
qu'	il	pût
que nous		pussions
que vous		pussiez
qu'	ils	pussent

Passé

que	j'	aie	pu
que	tu	aies	pu
qu'	il	ait	pu
que nous		ayons	pu
que vous		ayez	pu
qu'	ils	aient	pu

Plus-que-parfait

que	j'	eusse	pu
que	tu	eusses	pu
qu'	il	eût	pu
que nous		eussions	pu
que vous		eussiez	pu
qu'	ils	eussent	pu

MODE CONDITIONNEL

Présent

je	pourrais
tu	pourrais
il	pourrait
nous	pourrions
vous	pourriez
ils	pourraient

Passé 1re forme

j'	aurais	pu
tu	aurais	pu
il	aurait	pu
nous	aurions	pu
vous	auriez	pu
ils	auraient	pu

Passé 2e forme

j'	eusse	pu
tu	eusses	pu
il	eût	pu
nous	eussions	pu
vous	eussiez	pu
ils	eussent	pu

MODE IMPÉRATIF

Présent   Passé

pas d'impératif

INFINITIF

Présent: pouvoir

Passé: avoir pu

PARTICIPE

Présent: pouvant

Passé		pu
	ayant	pu

VERBE SAVOIR

MODE INDICATIF

Présent

je	sais
tu	sais
il	sait
nous	savons
vous	savez
ils	savent

Imparfait

je	savais
tu	savais
il	savait
nous	savions
vous	saviez
ils	savaient

Passé simple

je	sus
tu	sus
il	sut
nous	sûmes
vous	sûtes
ils	surent

Futur simple

je	saurai
tu	sauras
il	saura
nous	saurons
vous	saurez
ils	sauront

Passé composé

j'	ai	su
tu	as	su
il	a	su
nous	avons	su
vous	avez	su
ils	ont	su

Plus-que-parfait

j'	avais	su
tu	avais	su
il	avait	su
nous	avions	su
vous	aviez	su
ils	avaient	su

Passé antérieur

j'	eus	su
tu	eus	su
il	eut	su
nous	eûmes	su
vous	eûtes	su
ils	eurent	su

Futur antérieur

j'	aurai	su
tu	auras	su
il	aura	su
nous	aurons	su
vous	aurez	su
ils	auront	su

MODE SUBJONCTIF

Présent

que	je	sache
que	tu	saches
qu'	il	sache
que nous		sachions
que vous		sachiez
qu'	ils	sachent

Imparfait

que	je	susse
que	tu	susses
qu'	il	sût
que nous		sussions
que vous		sussiez
qu'	ils	sussent

Passé

que	j'	aie	su
que	tu	aies	su
qu'	il	ait	su
que nous		ayons	su
que vous		ayez	su
qu'	ils	aient	su

Plus-que-parfait

que	j'	eusse	su
que	tu	eusses	su
qu'	il	eût	su
que nous		eussions	su
que vous		eussiez	su
qu'	ils	eussent	su

MODE CONDITIONNEL

Présent

je	saurais
tu	saurais
il	saurait
nous	saurions
vous	sauriez
ils	sauraient

Passé 1re forme

j'	aurais	su
tu	aurais	su
il	aurait	su
nous	aurions	su
vous	auriez	su
ils	auraient	su

Passé 2e forme

j'	eusse	su
tu	eusses	su
il	eût	su
nous	eussions	su
vous	eussiez	su
ils	eussent	su

MODE IMPÉRATIF

Présent / Passé

sache	aie	su
sachons	ayons	su
sachez	ayez	su

INFINITIF

Présent: savoir

Passé: avoir su

PARTICIPE

Présent: sachant

Passé: su (e)

ayant su

VERBE VOIR

MODE INDICATIF

Présent

je vois
tu vois
il voit
nous voyons
vous voyez
ils voient

Passé composé

j' ai vu
tu as vu
il a vu
nous avons vu
vous avez vu
ils ont vu

Imparfait

je voyais
tu voyais
il voyait
nous voyions
vous voyiez
ils voyaient

Plus-que-parfait

j' avais vu
tu avais vu
il avait vu
nous avions vu
vous aviez vu
ils avaient vu

Passé simple

je vis
tu vis
il vit
nous vîmes
vous vîtes
ils virent

Passé antérieur

j' eus vu
tu eus vu
il eut vu
nous eûmes vu
vous eûtes vu
ils eurent vu

Futur simple

je verrai
tu verras
il verra
nous verrons
vous verrez
ils verront

Futur antérieur

j' aurai vu
tu auras vu
il aura vu
nous aurons vu
vous aurez vu
ils auront vu

MODE SUBJONCTIF

Présent

que je voie
que tu voies
qu' il voie
que nous voyions
que vous voyiez
qu' ils voient

Imparfait

que je visse
que tu visses
qu' il vît
que nous vissions
que vous vissiez
qu' ils vissent

Passé

que j' aie vu
que tu aies vu
qu' il ait vu
que nous ayons vu
que vous ayez vu
qu' ils aient vu

Plus-que-parfait

que j' eusse vu
que tu eusses vu
qu' il eût vu
que nous eussions vu
que vous eussiez vu
qu' ils eussent vu

MODE CONDITIONNEL

Présent

je verrais
tu verrais
il verrait
nous verrions
vous verriez
ils verraient

Passé 1re forme

j' aurais vu
tu aurais vu
il aurait vu
nous aurions vu
vous auriez vu
ils auraient vu

Passé 2e forme

j' eusse vu
tu eusses vu
il eût vu
nous eussions vu
vous eussiez vu
ils eussent vu

MODE IMPÉRATIF

Présent

vois
voyons
voyez

Passé

aie vu
ayons vu
ayez vu

INFINITIF

Présent: voir

Passé: avoir vu

PARTICIPE

Présent: voyant

Passé: vu (e)

ayant vu